Eine Jugend

Von
Sascha Feuchert

Philipp Reclam jun. Stuttgart

Ruth Klügers *weiter leben. Eine Jugend* liegt im Original im Wallstein Verlag (Göttingen 1992 u. ö.) und unter Nr. 11950 im Deutschen Taschenbuch Verlag (München 1994, 12. Aufl. 2004) vor. Die Seiten- und Zeilenangaben im Kommentar beziehen sich auf beide Ausgaben.

RECLAMS UNIVERSAL-BIBLIOTHEK Nr. 16045

Gesamtherstellung: Reclam, Ditzingen. Printed in Germany 2004

ISBN 3-15-016045-6

www.reclam.de

Inhalt

Vorbemerkung

Ruth Klügers *weiter leben. Eine Jugend* markiert einen Wendepunkt im deutschen Holocaust-Diskurs: Kein anderer Text der Holocaust-Literatur erreichte eine derartig hohe Auflage, kein anderer literarischer Text veranlasste eine so große Zahl von Menschen, sich mit dem Thema auseinander zu setzen. Hinzu kommt, dass *weiter leben* ein dichtes intertextuelles Netz knüpft und voller literarischer, kunstgeschichtlicher und historischer Bezüge steckt, die im vorliegenden Band im Zeilenkommentar aufgeschlüsselt werden. Zusätzlich wird der historische Hintergrund beleuchtet. Außerdem finden u. a. der erste Zeitungsartikel von Ruth Klüger und ein Interview mit ihr, das wesentliche Motive der Textentstehung offen legt, hier Aufnahme.

Für die Mitwirkung an diesem Band danke ich besonders Lars Hofmann, Imke Janssen-Mignon, Charlotte Kitzinger, Melanie Kuhn, Andreas Pfeifer, Eva Schaum und Katja Zinn. Einmal mehr gilt mein größter Dank Claire Annesley.

Gießen, im Dezember 2003 *Sascha Feuchert*

I. Wort- und Sacherläuterungen

Die erste, vorangestellte Seitenzahl bezieht sich jeweils auf die gebundene Originalausgabe im Wallstein Verlag (Göttingen 1992), die zweite auf die Taschenbuchausgabe bei dtv (12. Aufl. 2004).

[Titel / Widmung] *weiter leben / Den Göttinger Freunden – ein deutsches Buch:* Die Widmung *Den Göttinger Freunden* ist eine Dedikation an eine bestimmte Personengruppe. Der Nachsatz *ein deutsches Buch* ist jedoch vielschichtiger. Denn hinter »dieser scheinbar einträchtigen Formulierung verbirgt sich genau der Unterschied, auf dem Klüger besteht, der Bruch nämlich zwischen Deutschen und Juden nach 1945« (Irene Heidelberger-Leonard, *Ruth Klüger, weiter leben. Eine Jugend*, München 1996, S. 43). Die Problematik des Fortlebens verkörpert sich in der Kleinschreibung *weiter leben*. Zum Titel vgl. S. 130 (Gespräch mit Klaus Naumann).

[Motto] 6,5 / 7,5 *Simone Weil:* französische Gesellschafts- und Moralphilosophin (1909–43). Im Spanischen Bürgerkrieg engagierte sie sich 1936 als Feldköchin für die Internationale Brigade. Nach einem mystischen Erlebnis trat die gebürtige Jüdin zum Christentum über. 1942 musste sie ihr Heimatland Frankreich verlassen und vor den Nazis in die USA fliehen. Nach sieben Monaten ging sie nach England, wo sie sich der Résistance (Widerstandsbewegung in Frankreich) anschloss. Weil entwarf in ihren Schriften eine Gesellschaftsordnung, in deren Zentrum die »Bedürfnisse der Seele« (Freiheit, Gleichheit, Verantwortung) stehen sollten. Sie ging davon aus, dass diese Gesellschaft auf die von Gott gestiftete Ordnung gegründet werden kann.

7,13 / 9,14 *Buchenwald:* Konzentrationslager in der Nähe

von Weimar. Rund 250 000 Menschen aus allen europäischen Ländern waren von Juli 1937 bis April 1945 im Konzentrationslager Buchenwald inhaftiert. Die Zahl der Opfer wird auf etwa 56 000 geschätzt. Über 34 000 Tote sind in den Unterlagen des Lagers registriert worden. Nicht erfasst wurden jedoch die durch Genickschuss ermordeten sowjetischen Kriegsgefangenen, die im Krematorium von Buchenwald hingerichteten Gestapo-Häftlinge (geschätzt auf 1100), die mit »Evakuierungstransporten« (so genannten »Todesmärschen«, s. Anm. zu 164,20 / 165,21) aus den Lagern des Ostens im Frühjahr 1945 tot nach Buchenwald gekommenen Menschen und die Opfer der Todesmärsche, die von Buchenwald im April 1945 abgingen (geschätzt auf 12 000 bis 15 000). Unter diesen Toten waren 11 000 Juden.

8,22 / 10,34 f. *Lied vom Judenblut:* antisemitisches Hetzlied der »Sturmabteilung« (SA) der Nationalsozialistischen Deutschen Arbeiterpartei (NSDAP): »[...] Wenn der Sturmsoldat ins Feuer geht, ei da hat er frohen Mut, / und wenn das Judenblut vom Messer spritzt, ei da geht's noch mal so gut. / [...] Als Sturmsoldaten ziehen wir mit Adolf Hitler in den Kampf. / Entweder siegen oder sterben wir fürs deutsche Vaterland« (zit. nach: www.kollektives-gedaechtnis.de/texte/vor45/lieder.html). Es handelt sich um eine Umtextung des SA-Liedes *Ihr Sturmsoldaten, jung und alt.*

9,5 / 11,6 ›*Blut und Ehre*‹: Schlüsselbegriffe der NS-Ideologie, *Blut* als mythisch überhöhtes Symbol für die »nordische Rasse«, *Ehre* war in der »nationalsozialistischen Rhetorik der Grundwert der nordischen Rasse und damit der deutschen Volksgemeinschaft, der seine Norm von dem Ziel der ›Reinerhaltung des Blutes‹ erhalten soll« (Cornelia Schmitz-Berning, *Vokabular des Nationalsozialismus.* Berlin / New York 2000, S. 109, 163).

9,33 / 11,35 *peu à peu:* (frz.) nach und nach.

Umschlag der Originalausgabe des Wallstein Verlags
Im Uhrzeigersinn: Eingangstor zum KZ Auschwitz-Birkenau, Stefansdom in Wien, New York und Göttingen

10,2 / 12,2 *»Knowledge is power«:* (engl.) »Wissen ist Macht« nach Francis Bacon (1561–1626).

10,15 / 12,16 *Mischpoche:* auch *Mischpoke*, *Muschpoko*, (jidd.) *Mischpocho* ›Familie, Verwandtschaft‹; häufig auch abwertend verwendet: üble Gesellschaft, Gruppe von unangenehmen Leuten.

10,27 / 12,28 *Monade:* (lat.) Monas, (griech.) Monás ›Einheit, das Einfache‹; nach dem Philosophen Gottfried Wilhelm Leibniz (1646–1716) die »letzte, in sich geschlossene, vollendete, nicht mehr auflösbare Ureinheit«; hier: Vereinzeltes, Einsames.

11,29 f. / 13,29 f. *»Des Sängers Fluch«:* Ballade von Ludwig Uhland (entstanden 1804), in deren Mittelpunkt zwei Sänger stehen, die an den Hof eines grimmigen Königs kommen und mit ihrem Gesang alle bezaubern. Der König tötet in einem eifersüchtigen Wutanfall den jüngeren der beiden. Daraufhin verflucht der ältere Sänger den König und sein Schloss: »Und rings, statt duft'ger Gärten, ein ödes Heideland, / Kein Baum verstreuet Schatten, kein Quell durchdringt den Sand, / Des Königs Namen meldet kein Lied, kein Heldenbuch; / Versunken und vergessen! das ist des Sängers Fluch« (Ludwig Uhland, *Gedichte*, Stuttgart 2001, S. 23).

11,30 / 13,30 *Uhland:* Ludwig U. (1787–1862), deutscher Dichter, Germanist und Politiker, Abgeordneter in den Parlamenten von Württemberg (1819) und Frankfurt (1848). Von 1830 bis 1833 wirkte er als Professor für deutsche Literatur und Sprache in Tübingen, später ebendort als Privatgelehrter. Seine Gedichte und Balladen widmen sich bevorzugt alten Sagen- und Legendenstoffen. Uhlands gesammelte *Gedichte* (1815) erlebten viele Neuauflagen und sind noch immer populär.

Schiller: Friedrich Sch. (1759–1805), deutscher Dramatiker, Dichter und Historiker. In den neunziger Jahren des 18. Jh.s entstanden Schillers anthropologische, ethische und ästhetische Hauptwerke: In *Über Anmut und*

Würde (1793) interpretiert Schiller Schönheit bzw. Anmut als »Ausdruck moralischer Empfindung« und in *Über die ästhetische Erziehung des Menschen* (1795) entwirft er die Utopie eines ästhetischen Staates, in dem die Kunst die Natur überwinden sollte. Die Freundschaft und die intensive Zusammenarbeit mit Johann Wolfgang Goethe (zwischen 1794 und 1804) begründeten die Weimarer Klassik (s. Anm. zu 52,4 / 53,18).

12,9 / 14,7 *Sartre:* Jean-Paul S. (1905–80), französischer Philosoph und Schriftsteller. Von 1942 bis 1944 gehörte er der französischen Widerstandsbewegung, der Résistance, an, was den Deutschen aber verborgen blieb. Sie erlaubten daher auch die Publikation zahlreicher seiner Schriften, u. a. seines Hauptwerks *Das Sein und das Nichts* (1943). Hierin definierte Sartre die Schaffung eines eigenen Wertekosmos als »Hauptaufgabe des Seins«. Der Mensch sei zu diesem Entwurf der eigenen Existenz ebenso wie »zur Freiheit verdammt«. Sartre wurde damit zum Hauptvertreter der französischen Existenzphilosophie. 1964 lehnte Sartre den Nobelpreis für Literatur ab.

13,26 f. / 15,25 f. *Gaslicht:* Vorgänger des elektrischen Lichts.

14,14 / 16,11 *»Höre Israel«:* Schma Israel: jüdisches Gebet (5. Mose, 6,4 ff.): »Höre, Israel, der HERR ist unser Gott, der HERR allein. / Und du sollst den HERRN, deinen Gott, liebhaben von ganzem Herzen, von ganzer Seele und mit all deiner Kraft. Und diese Worte, die ich dir heute gebiete, sollst du zu Herzen nehmen [...].«

14,32 / 16,30 *arisch:* Schlüsselbegriff der nationalsozialistischen Ideologie. Die Selbstbezeichnung der indisch-iranischen Völker (sanskr. *arya* bedeutet ›Edler‹) wurde zu Beginn des 18. Jh.s als ethnographischer Fachterminus entlehnt. Im 19. Jh. verwendete der Sprachwissenschaftler Friedrich Max Müller die Bezeichnung *Arier* für eine indoeuropäische Sprachgruppe. Die Völker, die dieser

Sprachgruppe angehörten, bezeichnete er als »arische Rasse«. Der Begriff wurde sehr gegen den Willen Müllers zu einem Begriff für eine Urrasse umgedeutet. In der Folge wurde *arisch* immer stärker als Gegenbegriff zu »semitisch« oder »jüdisch« verwendet (vgl. Schmitz-Berning, S. 54 f.).

15,31 / 17,29 *Penelope:* in der griechischen Mythologie die Frau des Odysseus. Die Anspielung bezieht sich auf Penelopes wiederholtes Auflösen eines Grabtuches, das sie angeblich für ihren toten Schwiegervater Laertes wob: Mit diesem Trick hielt sie sich die Freier vom Leib, die um ihre Gunst während der 20-jährigen Abwesenheit ihres Mannes Odysseus um sie warben.

16,18 / 18,14 *Judenstern:* Ab November 1939 mussten Juden im von deutschen Truppen besetzten Polen, ab dem 1. September 1941 auch die Juden im Deutschen Reich diese Kennzeichnung tragen. Die ersten beiden Paragraphen der entsprechenden Polizeiverordnung lauten: »Auf Grund der Verordnung über die Polizeiverordnungen der Reichsminister vom 14. November 1938 (Reichsgesetzblatt I S. 1582) und der Verordnung über das Rechtsetzungsrecht im Protektorat Böhmen und Mähren vom 7. Juni 1939 (Reichsgesetzbl. I S. 1039) wird im Einvernehmen mit dem Reichsprotektor in Böhmen und Mähren verordnet:

§ 1 (1) Juden (§ 5 der Ersten Verordnung zum Reichsbürgergesetz vom 14. November 1935 – Reichsgesetzbl. I S. 1333), die das sechste Lebensjahr vollendet haben, ist es verboten, sich in der Öffentlichkeit ohne einen Judenstern zu zeigen. – (2) Der Judenstern besteht aus einem handtellergroßen, schwarz ausgezogenen Sechsstern aus gelbem Stoff mit der schwarzen Aufschrift ›Jude‹. Er ist sichtbar auf der linken Brustseite des Kleidungsstücks fest aufgenäht zu tragen.

§ 2 Juden ist es verboten

a) den Bereich ihrer Wohngemeinde zu verlassen, ohne

eine schriftliche Erlaubnis der Ortspolizeibehörde bei sich zu führen; b) Orden, Ehrenzeichen und sonstige Abzeichen zu tragen« (Polizeiverordnung über die Kennzeichnung der Juden, in: *Reichsgesetzblatt*, Teil I, Berlin, 5. September 1941, S. 547).

16,34 / 18,32 *Dianabad:* 1808 erstmals errichtete, sehr populäre Wiener Schwimmhalle.

17,7 / 19,3 *judenfeindlichen Schildern*: Im Deutschen Reich tauchten schon kurz nach der Machtübertragung 1933 Schilder auf, die es Juden verboten, in gewissen Geschäften einzukaufen, bestimmte Verkehrsmittel zu benutzen, auf öffentlichen Bänken Platz zu nehmen o. ä. In diesen Kontext gehören auch jene Plakate und Schilder, die im April 1933 zum Boykott jüdischer Geschäfte aufriefen. Auch in Österreich gab es diskriminierende Schilder bereits vor dem »Anschluss« 1938.

17,13 f. / 19,10 *Semmering, Vorarlberg, Wolfgangsee:* beliebte Touristenziele in Österreich; der Wolfgangsee liegt im Salzkammergut.

17,17 / 19,13 *Exulanten:* Verbannte.

17,29 f. / 19,27 *Kinderzeitschriften »Der Schmetterling« und »Der Papagei«:* populäre Kinderzeitschriften, die anfänglich beide in einem Wiener Verlag erschienen und bis 1941 aufgelegt wurden.

17,34 / 19,32 f. *Hitlers Einmarsch:* Dem so genannten »Anschluss« Österreichs an das Deutsche Reich ging eine Annäherung der beiden faschistischen Staaten Deutschland und Italien voraus, die durch den ersten Staatsbesuch Mussolinis vom 25.–29. September 1937 in Berlin demonstriert wurde. Vor dieser sich anbahnenden Aktionsgemeinschaft war Italien als Verbündeter Österreichs strikt gegen jede Form der Einmischung Deutschlands in österreichische Angelegenheiten gewesen. Am 12. März 1938 marschierten schließlich deutsche Truppen trotz erheblicher weltweiter Proteste in Österreich ein. Doch Großbritannien akzeptierte – um die Kriegsgefahr zu mindern – nur wenig später den Anschluss Österreichs. Am 10. April 1938 stimmten in einer Volksabstimmung offiziell jeweils 99 Prozent der Deutschen und der Österreicher der Annexion zu. Unmittelbar nach der Besetzung begannen die Terrormaßnahmen der Nazis gegen politische Gegner und Juden (Verhaftungen nach vorher gefertigten schwarzen Listen und Verschleppungen in Gefängnisse und Konzentrationslager).

19,11 / 21,6 f. *Arthur Schnitzler:* österreichischer Schriftsteller (1862–1931), einer der bedeutendsten Vertreter des »Jungen Wien«. Schnitzlers Werke beleuchten häufig das Triebleben ihrer Hauptfiguren, das sich im Spannungsfeld von Lust und Tod bewegt (*Reigen. Zehn Dialoge*, 1897, *Lieutenant Gustl*, 1900, *Fräulein Else*, 1924, und *Traumnovelle*, 1926). Schnitzlers Werke wurden von den Nationalsozialisten nach dem »Anschluss« verboten.

19,15 / 21,11 *Pedant:* krankhaft Ordnungssüchtiger.

19,28 / 21,26 *Werfelschem:* Franz Werfel (1890–1945), österreichischer Schriftsteller. 1938 musste Werfel aus Österreich emigrieren und gelangte – nach zum Teil spektakulärer Flucht – in die USA. Werfels Werk *Die vierzig Tage des Musa Dagh* (2 Bde., 1933) beschreiben den Völkermord der Türken an den Armeniern. Später wurde das Werk oft als Parabel auf den Genozid der Nationalsozialisten an den Juden gelesen.

19,29 / 21,26 *Zweigschem:* Stefan Zweig (1881–1942), österreichischer Schriftsteller, machte sich besonders als Novellenautor einen Namen, dessen Erzählungen in hohem Maße durch die Psychoanalyse beeinflusst sind (*Der Amokläufer*, 1922; *Angst*, 1925; *Verwirrung der Gefühle*, 1927). Seine bekannteste Erzählung schuf Zweig mit der *Schachnovelle* (1941). Seine Werke wurden von den Nationalsozialisten verboten.

19,31 / 21,29 *feschen:* (umgangsspr.) flotten, schicken, von (engl.) *fashionable* ›modisch‹.

19,32 / 21,30 *Joseph Roth:* österreichischer Schriftsteller (1894–1939). Gegenstand seiner Romane – etwa *Radetzkymarsch* (1932) oder *Die Kapuzinergruft* (1938) – ist oft ein nostalgisch-resignatives Panorama der untergehenden Donaumonarchie Österreich-Ungarn. Außerdem widmet er sich immer wieder dem Schicksal der Ostjuden (*Flucht ohne Ende*, 1927; *Juden auf Wanderschaft, Essays*, 1927). 1933 emigrierte Roth nach Paris. Seine an Schizophrenie erkrankte Frau wurde 1940 im Rahmen des so genannten »Euthanasieprogramms« umgebracht.

20,8 / 22,3 *Sigmund Freuds Stadt:* Sigmund Freud (1856–1939) österreichischer Nervenarzt, Begründer der Psychoanalyse. In Freiberg (heutiges Tschechien) geboren, ließ er sich in Wien nieder. Nach Medizinstudium und mehreren Auslandsaufenthalten eröffnete er in Wien 1886 eine Privatpraxis. In der Folge entstanden elementare Arbeiten zu einem Forschungsgebiet, dem Freud 1896 den Namen »Psychoanalyse« gab. Bis 1900 formulierte er die wesentlichen Konzepte und Therapieformen, die bis heute in abgewandelter Form grundlegend für die Psychoanalyse sind. Zu den entscheidenden Erkenntnissen Freuds gehören seine Theorien über die seelische Struktur (Es – Ich – Über-Ich), die Existenz und Bedeutsamkeit von Verdrängung und Widerstand als unbewusste Mechanismen und seine Theorien der kindlichen Sexualität (Ödipuskomplex). Nach der Besetzung Österreichs durch deutsche Truppen musste Freud, der seit 1923 an Gaumenkrebs erkrankt war, nach Großbritannien fliehen und starb 1939 an den Folgen der Krankheit in London.

20,9 / 22,4 *Jules Verne:* französischer Schriftsteller (1828–1905), berühmt für seine Zukunfts- und Abenteuerromane wie *Voyage au centre de la terre* (*Reise zum Mittelpunkt der Erde*, 1864), *Vingt mille lieues sous les mers* (*20 000 Meilen unter dem Meer*, 1870) und *Le tour du monde en quatre-vingt jours* (*In 80 Tagen um die Welt*, 1872). Seine Romane nahmen zum Teil technische Fortschritte vorweg, die erst Jahre später Realität werden sollten, wie etwa Raumschiffe, Unterseeboote, Raketenwaffen und Hubschrauber.

20,11 / 22,6 f. *Winnetou und Old Shatterhand:* Helden-Figuren des sächsischen Schriftstellers Karl May (1842–1912).

20,14 / 22,10 *Masaryks:* Tomáš Garrigue Masaryk (1850–1937), tschechischer Politiker. Nach dem Ersten Weltkrieg wurde Masaryk Präsident des tschechoslowakischen Nationalrats, einer provisorischen Übergangsregierung. Nur wenig später wurde er zum Staatspräsidenten des neuen Staates gewählt und verblieb im Amt bis 1935. Masaryk war vor allem auch durch seine judenfreundliche Politik bekannt.

20,16 / 22,12 *Schuschnigg:* Kurt Edler von Sch. (1897–1977), österreichischer Politiker christlich-sozialer Gesinnung, war von 1927 bis 1933 Abgeordneter im österreichischen Nationalrat, von 1932 bis 1934 Justiz- und Unterrichtsminister. Nach der Ermordung von Engelbert Dollfuß (s. Anm. zu 37,20 / 39,10) war Schuschnigg von 1934 bis 1938 österreichischer Bundeskanzler. Er setzte die Politik von Dollfuß weitgehend fort: Nach der Annäherung Italiens an Deutschland unterzeichnete Schuschnigg 1936 einen Vertrag mit Deutschland, der die gegenseitige Nichteinmischung garantierte, Österreich aber zu einer »deutschen« Außenpolitik verpflichtete. Der nationalsozialistische Terror und Druck innerhalb und außerhalb Österreichs führte schließlich dazu, dass Schuschnigg im März 1938 zurücktrat. Nach dem Anschluss Österreichs wurde er bis zum Ende des Zweiten Weltkriegs inhaftiert, zeitweise in Konzentrationslagern. 1948 emigrierte Schuschnigg in die USA und lehrte als Professor in Saint Louis. 1967 kehrte er nach Österreich zurück.

20,33 / 22,29 *König Wenzeslaus:* In der wechselvollen Geschichte Böhmens (das zunächst selbständig war, später Teil des »Heiligen Römischen Reiches Deutscher Nation« wurde) gab es mehrere Herrscher, die den Namen Wenzel oder Wenzeslaus (tschech. Václav) trugen. Gemeinhin denkt man bei der Nennung von *König Wenzeslaus* an Wenzel I., den Heiligen (um 903–929), Schutzpatron Böhmens.

21,3 / 22,34 *Anschluß-Kanzler:* Arthur Seyß-Inquart (1892–1946), österreichischer Politiker, ab 1931 Mitglied mehrerer mit der NSDAP sympathisierender Organisationen. Nach dem Rücktritt Schuschniggs (s. Anm. zu 20,16 / 22,12) bildete er im März 1938 als neuer Bundeskanzler Österreichs eine nationalsozialistische Bundesregierung, die die Annexion Österreichs an das Deutsche Reich betrieb. Er rief die bereits marschierenden deutschen Truppen offiziell ins Land. Nach dem »Anschluss« war Seyß-Inquart bis 1939 Reichsstatthalter der so genannten »Ostmark« (früheres Österreich) und bis Kriegsende Reichsminister ohne Geschäftsbereich. Ab 1940 wurde er zudem Reichskommissar in den besetzten Niederlanden und war für Unterdrückungsmaßnahmen sowie die Deportation von etwa 117 000 Juden in die deutschen Vernichtungslager verantwortlich. Im Nürnberger Prozess wurde er zum Tode verurteilt und hingerichtet.

22,3 f. / 23,32 *Schillinge und Groschen … Mark und Pfennige:* Der Schilling löste nach dem Ersten Weltkrieg die Krone ab (1 Schilling = 10 000 Kronen) und wurde am 20. Dezember 1924 mit Wirksamkeit vom 1. Januar 1925 an durch das Schillingrechnungsgesetz eingeführt (1 Schilling = 100 Groschen). Nach dem »Anschluss« Österreichs an Deutschland 1938 wurde der Schilling zum ungünstigen Kurs von 1,50 Schilling = 1 Reichsmark umgewechselt. Durch die 1. Währungsreform vom 30. November 1945 wurde der Schilling wieder zum gesetzlichen Zahlungsmittel in Österreich erklärt (1 Reichsmark = 1 Schilling) – bis zur Einführung des Euro am 1. Januar 2002.

23,2 / 24,33 *Palästina:* Vor der Gründung des Staates Israel im Jahre 1948 war Palästina die offizielle Bezeichnung für dieses Gebiet, das freilich auch das heutige Jordanien mit umfasste. Zu der Zeit, als einer der »angeheirateten Cousins« auf Initiative von Klügers Vater nach Palästina geschickt wurde, stand das Land unter einem Mandat, das der Völkerbund 1922 an Großbritannien übertragen hatte. Großbritannien hatte in der Vor-Mandats-Zeit drei sich widersprechende politische Versprechen gegeben: Bereits 1915 hatte die britische Regierung den Arabern die Herrschaft über Palästina nach dem Ersten Weltkrieg versprochen, 1916 aber mit seinen Verbündeten Frankreich und Russland vereinbart, das Land nach dem Krieg zu teilen und gemeinsam zu regieren. In der so genannten Balfour-Deklaration (1917) hatte man außerdem den Juden zugesagt, ihnen in Palästina eine nationale Heimat zu ermöglichen. Während Großbritannien zunächst angesichts der Verhältnisse in Deutschland und Europa tatsächlich mehr jüdische Einwanderer ins Land ließ, brach 1936 (bis 1939) ein arabischer Aufstand los, in dessen Folge die britische Regierung die Einwanderung nach Palästina und den Landkauf durch Juden stark beschränkte. Damit war zahllosen jüdischen Menschen der legale Fluchtweg nach Palästina versperrt. 1947 beschlossen die Vereinten Nationen die Teilung Palästinas in einen jüdischen und einen palästinensischen Staat. Großbritannien zog sich ein Jahr später als Mandatsmacht zurück. Im gleichen Jahr wurde Israel gegen den Willen der Araber gegründet. Im sich anschließenden Krieg gegen die arabischen Nachbarstaaten konnte Israel den größten Teil des ehemaligen Mandatsgebiets für sich behaupten.

23,2 / 24,34 *Haifa:* Hafenstadt im Nordwesten Israels, am östlichen Mittelmeer gelegen.

23,9 / 25,4 *Kaddisch:* Das Kaddisch-Gebet wird mehrfach im Synagogengottesdienst gebetet. Es ist auf Aramäisch verfasst und heiligt den göttlichen Namen. Seit dem 13. Jh. ist es das Gebet der Hinterbliebenen und nahen Angehörigen eines Toten. Der älteste Sohn spricht es im Trauerjahr täglich und dann immer am entsprechenden Jahrestag (Todestag).

23,22 / 25,19 *gefilte fish:* traditionelles jüdisches Essen, bestehend aus Fisch (in der Regel Karpfen, Weißfisch oder Hecht), Eiern, Gewürzen und ungesäuertem Brot (Brotkrumen). Die Zutaten werden gemischt und dann in kleine Bällchen geformt, die anschließend gebacken werden.

23,27 / 25,23 *Sabbatkerzen:* Die Kerzen sind wichtiger Bestandteil bei der Feier des Sabbats. Dabei werden entweder zwei oder so viele Kerzen, wie es Familienmitglieder gibt, entzündet. Es ist traditionell der Frau vorbehalten, die Kerzen zur Feier des Sabbats anzuzünden. Den Sabbat feiern die Juden – und einige christliche Konfessionen – als Erinnerung an Gottes Ruhe nach der Schöpfung (vgl. 1. Mose 20,11) und an den Auszug aus Ägypten (2. Mose 5,15).

24,8 / 26,2 *Diskrepanz:* Widerspruch, Missverhältnis.

24,16 f. / 26,12 *Sozialdarwinismus:* im späten 19. Jh. erstmals formulierte Theorie, die auf Charles Darwins (1809–82) Erkenntnissen über den Ursprung der Arten basiert. Sozialdarwinisten behaupten, dass die Entwicklung von Individuen und Gesellschaften ähnlich verläuft, wie die durch Selektion betriebene Evolution bei Tieren und Pflanzen. Damit wird das Dasein als Kampf ums Überleben verstanden. Die Theorie wurde von politischen Kreisen als philosophische Rechtfertigung für Imperialismus, Rassismus und zügellosen Kapitalismus herangezogen.

24,19 / 26,14 *»Nathan«: Nathan der Weise*, Theaterstück (»Dramatisches Gedicht«) von Gotthold Ephraim Lessing (1729–81), entstanden 1779. Handlungsort ist das Jerusalem der Kreuzzüge, wo die Weltreligionen, Christentum, Judentum und der Islam, direkt aufeinander prallen. Im Mittelpunkt steht Nathan, ein reicher Jude, der eine Christin, Recha, adoptiert hat, obwohl ihm einst von Christen seine sieben Söhne getötet worden waren. In der berühmten Ringparabel vergleicht er die drei Religionen Judentum, Christentum und Islam mit drei Ringen (ein Vater hatte zwei vom Ursprungsring nicht unterscheidbare Kopien eines wertvollen Ringes anfertigen lassen, um Erbschaftsstreitigkeiten zwischen seinen Söhnen vorzubeugen). Das im Blankvers verfasste Drama gilt als Plädoyer für Toleranz und Humanität.

25,2 / 26,33 *Konvention:* übliches, ein in einer Gesellschaft als Norm anerkanntes Verhalten.

25,9 / 27,3 f. *Turmbau zu Babel:* biblische Parabel über den Ursprung und die Vielfalt von Sprache (1. Mose 11,1–9): In Selbstüberschätzung versuchten die Menschen, einen Turm zu bauen, »dessen Spitze bis an den Himmel reiche, damit wir uns einen Namen machen«. Das missfiel Gott: »Daher heißt ihr Name Babel, weil der HERR daselbst verwirrt hat aller Länder Sprache und sie von dort zerstreut hat in alle Länder.«

26,7 / 28,1 *joviale:* leutselige, betont wohlwollende.

26,33 / 28,29 *Pathos:* (griech.) Leiden, leidenschaftlich-bewegter Ausdruck, Ergriffenheit; abwertend: Gefühlsüberschwang, übertriebene Gefühlsäußerung.

27,8 / 29,2 *kognitive:* hier: die Erkenntnis betreffende.

27,11 / 29,6 *Diskrepanz:* vgl. Anm. zu 24,8 / 26,2.
Affekte: heftige Erregung, Leidenschaften; hier im Sinne von: Gefühle.

27,20 f. / 29,16 *Memento:* (lat.) denke, bedenke, oft als *Memento mori!* (*Gedenke des Todes!*), etwa in mittelalterlicher oder barocker Literatur.

28,3 / 29,33 *Kunsttheoretiker Gombrich:* Sir Ernst H. Gombrich (1909–2001), Kunsthistoriker. Er emigrierte 1936 nach London. Gombrich war tief von den Werten der humanistischen und bürgerlichen Bildung überzeugt. Sein berühmtestes Werk legte er mit *Story of Art* (1950) vor, aus dem der oft zitierte Satz stammt: »There really is no such a thing as Art. There are only artists«.

28,3 f. / 29,34 *Philosoph Wittgenstein:* Ludwig W. (1889–1951), österreichisch-britischer Philosoph, in Wien geboren, studierte in Manchester Ingenieurwesen. Sein Interesse an Mathematik brachte ihn schließlich nach Cambridge, wo er am Trinity College bei dem britischen Mathematiker und Philosophen Bertrand Russell studierte. 1922 wurde sein *Tractatus logico-philosophicus* veröffentlicht, sein einziges zu Lebzeiten publiziertes Werk. Dort ging er davon aus, dass durch logische Analyse sich zumindest prinzipiell alle Tatsachen in der Welt erkennen lassen müssen (»Die Welt ist alles, was der Fall ist«). Nachdem er für einige Jahre geglaubt hatte, alle philosophischen Fragen seien gelöst, kehrte er erst 1929 nach Cambridge zurück, um seine Studien fortzusetzen. Erst postum (1953) erschien sein zweites Hauptwerk, *Philosophische Untersuchungen*. In den *Untersuchungen* sah er – anders als noch im *Tractatus* – in der bestimmten Form der Verwendung von Sprache die Ursache für zahlreiche philosophische Probleme (damit zweifelte er die prinzipielle, eindeutige Erklärbarkeit der Welt im Sinne des *Tractatus* an). Wittgenstein ist einer der Hauptvertreter der analytischen Philosophie und Sprachphilosophie.

28,11 / 30,5 f. *kommensurablen:* vergleichbaren.

28,12 / 30,7 *disparaten:* ungleichartigen, unvereinbaren, sich widersprechenden.

28,17 / 30,11 *Dilemma:* ausweglose Lage.

28,19 / 30,13 f. *Gespenstergeschichten:* vgl. hier S. 163–165.

28,31 / 30,24 *SS:* Abkürzung für »Schutzstaffel«. 1923 wurde die SS aus Mitgliedern der Sturmabteilung der NSDAP (SA) gebildet. Seit 1929 stand sie unter dem Befehl Heinrich Himmlers (1900–45) und wurde von diesem konsequent zu einem innenpolitischen und militärischen Kampfverband ausgebaut, der später im »Dritten Reich« eine der wesentlichen Säulen der Macht wurde. Die SS-Totenkopfverbände waren für die Konzentrationslager verantwortlich. Die Waffen-SS war eine Verfügungstruppe, die später neben die Wehrmacht trat und im Zweiten Weltkrieg als eine Elitetruppe galt (besonders auch im »rassischen« Sinne der Nazis). Im Nürnberger Prozess wurde die SS aufgrund der Verbrechen, die von SS-Angehörigen ausgeführt wurden, zur »verbrecherischen Organisation« erklärt.

29,1 / 30,28 *Opportunismus:* allzu bereitwillige Anpassung an die jeweilige Lage (um persönlicher Vorteile willen).

29,2 f. / 30,29 f. *Reichsfluchtsteuer:* Das Gesetz bestand zwar schon ab 1931 und war somit keine nationalsozialistische ›Erfindung‹, wurde aber später zusammen mit weiteren Maßnahmen der gezielten Ausplünderungspolitik des »Dritten Reiches« zu einem wirksamen Instrument der Nazis, um sich jüdisches Vermögen anzueignen. Das Gesetz sah vor, dass alle, die nach dem 31. März 1931 Deutschland verlassen hatten, 25 % ihres steuerpflichtigen Vermögens zu entrichten hatten. Für jüdische Bürger kam außerdem später hinzu, dass sie auch 25 % (zunächst ›nur‹ 20 %) ihres Vermögens als »Judenvermögensabgabe« zahlen mussten. Dazu kamen noch die Kosten der Auswanderung, wie Gebühren und Reisekosten, so genannte »Vorzeigegelder«, außerdem noch die ab 1939 angeordnete Auswanderungsabgabe.

29,5 / 30,32 *»Republikflucht«:* Bezeichnung für die strafbare Abwanderung von Bürgern der ehemaligen DDR aus ihrem Staatsbereich.

30,26 / 32,20 *Gegreine:* greinen: schmerzlich den Mund

verziehend leise und kläglich vor sich hin weinen oder weinerlich klagen, jammern.

30,29 / 32,22 *Buchenwaldlied:* Das Lied stammt von zwei österreichischen Häftlingen: der Text von Dr. Fritz Löhner-Beda (1883–1942), die Musik von Hermann Leopoldi (1888–1959), einem Wiener Kabarettsänger: »Wenn der Tag erwacht, eh' die Sonne lacht, / die Kolonnen ziehn zu des Tages Mühn / hinein in den grauenden Morgen. / Und der Wald ist schwarz und der Himmel rot, / und wir tragen im Brotsack ein Stückchen Brot / und im Herzen, im Herzen die Sorgen. // O Buchenwald, ich kann dich nicht vergessen, / weil du mein Schicksal bist. / Wer dich verließ, der kann es erst ermessen, / wie wundervoll die Freiheit ist! / O Buchenwald, wir jammern nicht und klagen, / und was auch unser Schicksal sei, / wir wollen trotzdem ja zum Leben sagen, / denn einmal kommt der Tag: dann sind wir frei! [...]« (*Konzentrationslager Buchenwald 1937–1945*, hrsg. von der Gedenkstätte Buchenwald, erstellt von Harry Stein, Göttingen 1999, S. 80).

30,32 / 32,25 *KZs:* Abkürzung für »Konzentrationslager« (im nationalsozialistischen Behördengebrauch mit »KL« abgekürzt). Die Konzentrationslager waren ein wesentlicher Bestandteil des NS-Unterdrückungssystems. Sie dienten der »Inhaftierung politischer Gegner und aus sozialen oder rassischen Gründen Verfolgter«. Zum zentralen Merkmal des Haftvollzugs entwickelte sich die Zwangsarbeit. Einige Lager wie Auschwitz oder Majdanek »waren Zentren der systematischen Ermordung von Juden, Zigeunern, sowjetischen Kriegsgefangenen und anderen Bevölkerungsgruppen aus dem Reich und den besetzten Gebieten« (*Enzyklopädie des Holocaust*, S. 785). Rund 3,5 Millionen Menschen wurden in den Konzentrationslagern getötet. Die Gesamtopferzahl des Holocaust liegt nach heutigen Schätzungen bei rund 6 Millionen Menschen.

33,2 / 34,30 *Agonie:* Todeskampf.

33,20 f. / 35,12 *Sammellager Drancy:* Sammel- und Internierungslager für die Juden Frankreichs in Nordfrankreich von 1941 bis 1944. Von hier aus wurden rund 70 000 Juden in verschiedene Zwangsarbeits- und Vernichtungslager deportiert. Das Lager war über 200 × 40 Meter groß. Als die SS das Lager 1944 hastig aufgab, ließ sie noch 1542 Häftlinge zurück.

33,21 / 35,13 *Auschwitz:* vgl. hier S. 111–116.

33,29 / 35,22 *Exorzismus:* religiöses Ritual zur Verbannung des Teufels aus einem Menschen, einem Ort oder einem Gegenstand, der »besessen« ist.

35,24 / 37,15 *Antigone:* Tragödie des griechischen Dichters Sophokles (s. Anm. zu 35,29 / 37,20), die vermutlich 442 v. Chr. uraufgeführt wurde. Antigone ist der griechischen Mythologie zufolge die Tochter des Ödipus und der Iokaste sowie die Schwester des Eteokles und des Polyneikes. Letzteren beerdigte sie gegen König Kreons Verbot nach dem Kampf der Sieben gegen Theben. Kreon ließ sie deswegen bei lebendigem Leibe einmauern. Antigone tötete sich daraufhin selbst (s. auch Anm. zu 218,12 / 220,16).

35,25 / 37,16 *Kolonos:* Stadt bei Athen. Geburtsort von Sophokles und der Sage nach der Ort, an dem sich Ödipus in der Verbannung schließlich niederließ und starb. Dorthin wurde er nur von seiner Tochter Antigone begleitet.

35,26 / 37,17 *Apotheose:* Vergöttlichung, Verherrlichung.

35,29 / 37,20 *Sophokles:* griechischer Dichter (497/496 – 406/405 v. Chr.). 28-jährig besiegte Sophokles beim dramatischen Agon-Wettbewerb den damals unumstrittenen Dichter Aischylos. In der Folge gewann er rund 20-mal den prestigeträchtigen Wettstreit. Im Laufe seines Lebens verfasste er wohl 123 Theaterstücke, von denen freilich nur noch sieben vollständig und darüber hinaus rund 80 Fragmente erhalten blieben. In *Antigone* spielt er am eindrucksvollsten das ihm wichtigste Thema seiner Dichtungen durch: das Schicksal eines aus der Gemeinschaft der Polis (»Stadt«) heraustretenden Menschen.

36,7–10 / 37,28–31 *Siebenmeilenstiefel … Schlemihl:* Anspielung auf die 1814 entstandene Novelle *Peter Schlemihls wundersame Geschichte* von Adalbert von Chamisso (1781–1838). Die Erzählung stellt eine Variante des im 19. Jh. populären Motivs des Teufelspakts dar: Der Titelheld verkauft dem Teufel für den Preis unbeschränkten Wohlstands seinen Schatten. Doch durch diesen Pakt wird er nicht glücklich: Die Gesellschaft ächtet den »Schattenlosen«, ihm bleibt – nachdem er sich auf einem Jahrmarkt ein Paar Siebenmeilenstiefel gekauft hat – ein unstetes Wanderleben. Der Name des Protagonisten stammt aus dem Jiddischen (Selumil/Shelumiel), die genaue Herkunft des Wortes ist unklar. Der Name bedeutet ursprünglich im Hebräischen soviel wie »Mein Wohl ist Gott«. Selumil/Shelumiel war angeblich ein General, der alle seine Schlachten verlor (deshalb umgangssprachlich auch für einen Träumer oder glücklosen Menschen).

36,11 / 37,32 *lyrischen Ich:* »Sprecher« im Gedicht, normalerweise nicht zu verwechseln mit dem Autor des Gedichts, hier jedoch fast gleichbedeutend mit der Autorin selbst.

36,15 / 38,3 f. *»keine Gedichte nach Auschwitz«:* Bezug auf eine literaturtheoretische Debatte, die 1951 von dem Philosophen und Soziologen Theodor W. Adorno (s. Anm. zu 126,6 / 127,12) ausgelöst wurde. Zur Kenntnis genommen wurde häufig nur ein Halbsatz Adornos: »nach Auschwitz ein Gedicht zu schreiben ist barbarisch« (aus *Kulturkritik und Gesellschaft*, 1951). Dieser Satz wurde nahezu als ein umfassendes »Kunstverbot nach/über Auschwitz« verstanden. Adornos Ausgangspunkt für die Ablehnung einer wie immer gearteten Inszenierung des Holocaust war ursprünglich der von ihm präzise formulierte Hinweis auf die Gefahren, »die in der ›Darstellung des Leidens‹, im ›ästhetischen Stilisationsprinzip‹ des ›unausdenklichen Schicksals‹ liegen. Potentiell enthalten auch jene Kunstwerke, die sich vermeintlich engagieren, ›Sinn‹ und ›Genuß‹ für den Betrachter, und ›damit allein schon widerfährt den Opfern Unrecht‹« (*Lyrik nach Auschwitz? Adorno und die Dichter*, hrsg. von Petra Kiedaisch, Stuttgart 1995, S. 14). Adorno selbst hat jedoch die Notwendigkeit gesehen, dass sein Verdikt nicht als Verbot, sondern als Denkanlass gesehen wird. Für Adorno war Samuel Becketts absurdes Drama *Endspiel* (1957) ein Beispiel für eine Kunst, die »in die Asche von Auschwitz geschrieben« ist.

36,22 / 38,11 *Ghettos:* im Deutschen auch in der Schreibweise *Gettos*. Die Herkunft des Begriffs ist umstritten, er entstand aber vermutlich im 16. Jh. mit Bezug auf das erste Ghetto in Venedig. Der Lebensbereich jüdischer Menschen wurde 1595 in der italienischen Stadt auf das Gelände einer Gießerei (ital. *geto*) beschränkt. Im Nationalsozialismus beschrieb der Begriff *Ghetto* das Wohnviertel einer Stadt, in das man die jüdische Bevölkerung pferchte. Die Ghettos wurden meist mit Mauern und Zäunen abgeriegelt und streng bewacht. Auf unerlaubtes Verlassen – sofern dies überhaupt möglich war – stand die Todesstrafe. Ghettos waren – so Jean Améry (1912–78) – ein »Warteraum des Todes«, denn aus den Ghettos wurden die Menschen in die Vernichtungslager verschleppt. Die beiden größten Ghettos befanden sich in Warschau und Lodz.

36,33 / 38,22 *Mythologien:* Mythos: überlieferte Dichtung, Sage, Erzählung; unter *Mythologie* versteht man die Gesamtheit der mythischen Überlieferungen eines Volkes und deren wissenschaftliche Darstellung und Erforschung, hier synonym zu: Mythen.

37,20 / 39,10 *Mörderkugel:* Gemeint ist der so genannte Dollfußmord: der österreichische Bundeskanzler Engelbert Dollfuß (1892–1934) wurde am 25. Juli 1934 von nationalsozialistischen Putschisten ermordet. Gestützt auf den Bauernverband und die Heimwehr, einem paramilitärischen, faschistischen Verband des Bauern- und Bürgertums, wurde Dollfuß 1932 Bundeskanzler. Nach der Machtübernahme durch die Nationalsozialisten im Deutschen Reich widersetzte er sich dem Anschluss Österreichs – Mussolini unterstützte ihn dabei tatkräftig. 1933 löste er das Parlament auf und verbot die kommunistische Partei und die Nationalsozialisten. Mit der Vaterländischen Front – erneut eine faschistische, paramilitärische Organisation, die bald die einzige legale Partei Österreichs war – errichtete er ein autoritäres System, das auf einer Ständeverfassung ruhte (»Austrofaschismus«).

37,29 f. / 39,21 *»Floridsdorf«:* 21. Bezirk von Wien und ein Zentrum der Februarkämpfe des Jahres 1934, bei denen sich sozialdemokratische Arbeiter gegen die Regierung Dollfuß und die sie stützenden Organe auflehnten. Der weitgehend unorganisierte Aufstand scheiterte hauptsächlich daran, dass der von der Sozialdemokratischen Partei ausgerufene Generalstreik nicht durchgeführt wurde. Einige Führer des Aufstands wurden hingerichtet, andere konnten ins Ausland fliehen. Dem Aufstand folgte das Verbot der Sozialdemokratischen Partei, der Gewerkschaften, aller sozialdemokratischen Arbeiterorganisationen sowie der von den Sozialdemokraten geleiteten Gemeinde- und Landesvertretungen. Darüber hinaus erließ Dollfuß eine neue Verfassung (»Maiverfassung«).

38,30 / 40,20 *Ostmark:* unter dem Nationalsozialismus nach dem Anschluss als neue Bezeichnung für das ehemalige Österreich vorgeschrieben, aber 1942 wieder abgeschafft und durch die Sammelbezeichnung »Donau- und Alpenreichsgaue« ersetzt.

38,31 / 40,21 *Hitlergruß:* offizielle Begrüßung im Dritten Reich; der rechte Arm und die rechte Hand wurden schräg nach oben gestreckt. Die Worte »Heil Hitler« dienten zur Begrüßung und waren auch Schluss- und Grußformel unter Dokumenten.

39,16 f. / 41,4 *Donauweibchen:* österreichische Sage aus Wien, in deren Mittelpunkt eine Nixe steht, die zunächst einem jungen Fischer hilft, indem sie ihn vor den Folgen des bevorstehenden Tauwetters auf der Donau warnt. Später jedoch verfällt er ihrem Liebreiz, und sie zieht ihn in die Tiefen der Donau hinab.

39,17 / 41,4 *Basiliskenhaus:* Basilisk: mythisches Reptil, dessen Blick tötet, so Plinius der Ältere in seiner *Naturalis historia. Basiliskenhaus* wird die Wiener Sage genannt, die sich um ein solches Ungeheuer dreht. Erst durch den weisen Rat des Stadtdoktors weiß man, was zu tun ist: Der Brunnen, in dem das Monster wohnt, wird mit Steinen zugeschüttet.

Stock im Eisen: österreichische Sage aus Wien, die von einem Schlossergesellen handelt, der in einen Teufelspakt gerät. Er muss dem Teufel geloben, dass er niemals eine Sonntagsmesse versäumen wird. Dafür macht der Teufel ihn zum besten Schlosser weit und breit, bis eines Sonntags der Geselle durch eine List des Teufels doch eine Messe verpasst und zur Hölle fahren muss. Bis in die heutige Zeit hinein schlagen Schlossergesellen, wenn sie nach Wien kommen, zum Andenken an ihren armen Berufsgenossen einen Nagel in einen Baum.

39,17 f. / 41,5 *Spinnerin am Kreuz:* Wiener Sage, in deren Mittelpunkt die Frau eines Kreuzzüglers steht, die über Jahre hinweg ihr Gelübde, unter dem Kreuz auf dem Wienerberg auf die Rückkehr ihres Mannes zu warten, einhält und schließlich belohnt wird: Ihr Mann kehrt heim. Ihren Lebensunterhalt hatte sie sich als Spinnerin verdient. Bei jedem Wetter saß sie im Freien unter dem Kreuz und ging ihrer Arbeit nach.

39,18 / 41,5 *Türkenbelagerung:* Die Stadt Wien wurde zweimal von türkischen Heeren belagert, vom 27. September bis 15. Oktober 1529 und vom 14. Juli bis 12. September 1683. Die beiden Vorstöße bis Wien bildeten die Höhepunkte der Türkenkriege. Beide Male gelang es den Habsburger Truppen, sich zu befreien und den Vorstoß der türkischen Armeen zu stoppen.

39,18 / 41,5 f. *Frühstückskipferl ... Halbmond:* Teighörnchen.

39,20 / 41,7 *Barock der Pestsäule:* Die Pestsäule in Wien (am Graben) wurde als Dank für das Ende der Pestepidemie errichtet. Sie gilt als künstlerisch bedeutendstes Beispiel für die besonders in Österreich weit verbreiteten Pestsäulen. Nach einem Gelübde von Leopold I. aus dem Jahr 1679 errichtete man zunächst eine Pestsäule aus Holz, später wurde eine eindrucksvolle Steinsäule gebaut.

39,20 f. / 41,8 *Geschichte vom lieben Augustin:* Sage aus Wien um einen Dudelsackspieler zur Zeit der großen Pestepidemie 1679. Augustin, der Musiker, ist über den ängstlichen Rückzug seines Publikums aus den Weinstuben so betrübt, dass er sich mit einem Wiener Wirt heftig betrinkt und irgendwann bewusstlos auf der Straße zusammenbricht. Die Pestknechte halten ihn für ein weiteres Opfer der Seuche und werfen ihn in die Pestgrube. Augustin erwacht und vermag es durch sein Dudelsackspiel, die Aufmerksamkeit auf sich zu lenken und so gerettet zu werden. Dass sich Augustin nicht angesteckt hat, obwohl er in der Pestgrube unter lauter Toten lag, gibt den Wienern wieder Hoffnung und macht ihnen deutlich, dass eben noch nicht »alles hin« ist.

39,29 / 41,17 *Tannengrün und Ährengold:* Vers aus der Hymne der Republik Österreich (bis 1938), Text: Ottokar Kernstock (1848–1928), Melodie: Josef Haydn (1732–1809): »Sei gesegnet ohne Ende, / Heimaterde, wunderhold! / Freundlich schmücken dein Gelände /

Tannengrün und Ährengold. / Deutsche Arbeit, ernst und redlich! / Deutsche Liebe, zart und weich – / Vaterland, wie bist du herrlich, / Gott mit dir, mein Österreich!« (zit. nach: Hermann Kurzke, *Hymnen und Lieder der Deutschen*, Mainz 1990, S. 26).

40,13 / 41,36 *Susanne:* Name hebräischen Ursprungs, eigtl. ›Lilie‹. In der Bibel (Buch Daniel 13 bzw. Apokryphen) wird von der frommen Susanna berichtet, die von zwei Ältesten zu Unrecht des Ehebruchs bezichtigt wird. In Wirklichkeit wollen die beiden Susanna verführen. Erst als diese sich weigert, beschuldigen die Ältesten die Frau, die daraufhin zum Tode verurteilt wird. Der Prophet Daniel jedoch deckt Widersprüche in den Zeugenaussagen auf und rettet Susanna. Die beiden Verleumder bezahlen ihr Vergehen mit dem Leben.

40,13 / 41,37 *Ruth:* Buch des Alten Testaments (auch *Rut*), das von einer Familie aus Bethlehem in Juda handelt, die während einer Hungersnot Zuflucht im Land der Moabiter sucht. Dort heiraten die Söhne der Familie moabitische Frauen. Als der Vater und die beiden Söhne sterben, beschließt die allein zurückgebliebene Mutter Naomi, nach Bethlehem zurückzukehren. Sie drängt ihre Schwiegertöchter, in Moab zu bleiben, aber eine der Schwiegertöchter, Rut, besteht darauf, zusammen mit Naomi nach Bethlehem zurückzukehren. In Bethlehem lernt Rut schließlich einen Verwandten Naomis, Boaz, kennen. Obwohl Rut eine Fremde und somit eine Heidin ist, nimmt Boaz sie zur Frau. Der Eheschließung geht ein Ritual voraus, auf das später Bezug genommen wird (vgl. 51,12 ff. / 52,25 ff.). Naomi rät ihrer Schwiegertochter: »[...] bade dich und salbe dich und lege dein Kleid an und geh hinab auf die Tenne [Dreschplatz]. Gib dich dem Mann nicht zu erkennen, bis er gegessen und getrunken hat. Wenn er sich dann schlafen legt, so merke dir die Stelle, wo er sich hinlegt, und geh hin und decke zu seinen Füßen auf und leg dich hin, so wird er dir sagen, was du tun sollst« (Rut 3,3.4). Zu Beginn des Matthäusevangeliums wird Rut in der Stammtafel als Urgroßmutter von König David erwähnt. Die Geschichte wird oft als Protest gegen die strenge Reform der Heiratsvorschriften (Verbot der Mischehe) verstanden, die in der Zeit nach der Verbannung von Esra und Nehemia erlassen wurden.

40,29 / 42,17 *Buch Esther:* Wegen seines Inhalts als letztes Buch in den Kanon der Bibel aufgenommen, da es lange Zeit als zu rachsüchtig und gewalttätig galt. Zentraler Gegenstand ist die Rettung der persischen Juden vor der Vernichtung. Esther, eine schöne jüdische Waise, wird von ihrem Vetter Mordechai großgezogen. Der persische König Ahasver erklärt Esther zur schönsten Jungfrau des Landes und erwählt sie zu seiner neuen Gemahlin. Da ihr Vetter Mordechai dem intriganten obersten Geistlichen Persiens, Haman, Anerkennung und Respekt verweigert, schmiedet dieser eine Intrige gegen Mordechai und das gesamte jüdische Volk: Er überzeugt den König davon, dass die Juden die Gesetze nicht beachteten und veranlasst Ahasver, ein Dekret zu erlassen, das auf die Vernichtung aller Juden im Land abzielt. Mordechai jedoch überredet Esther, vor den König zu treten und diesen über die Intrige Hamans aufzuklären. Dies gelingt Esther, und Ahasver lässt Haman hängen. Seinen judenfeindlichen Erlass kehrt Ahasver um: Nun ist es den Juden gestattet, alle ihre Gegner zu töten. Ein blutiger Rachefeldzug ist die Folge. Mordechai und Königin Esther erklären daraufhin das Purimfest zum Feiertag der jüdischen Errettung.

Makkabäer: Beiname des im zweiten und ersten Jh.s v. Chr. herrschenden jüdischen Geschlechts der Hasmonäer, die die Juden in ihrem Freiheitskampf aus Syrien herausführten und ihnen – zumindest zeitweise – zu einer erheblichen Machtposition verhalfen. Die Heldentaten dieses Geschlechts sind der Gegenstand von vier Büchern des Alten Testaments, die z. T. in die katholische Bibel eingingen und in der protestantischen Bibel zu den Apokryphen zählen. Keines der vier Bücher ist Teil der hebräischen Bibel.

40,31 / 42,19 *chauvinistisch:* Unter Chauvinismus versteht man 1. a) exzessiver Nationalismus militaristischer Prägung; extrem patriotische, nationalistische Haltung; b) einzelne chauvinistische Äußerung, Handlung. 2. in der Verbindung: männlicher Ch: selbstgefällige, überhebliche Art von Männern auf Grund eines gesteigerten Selbstwertgefühls und die damit verbundene gesellschaftliche Bevorzugung der Angehörigen des eigenen Geschlechts.

40,34 / 42,22 *Theresienstadt:* vgl. hier S. 108–110.

41,6 / 42,28 *emanzipiert:* selbständig, unabhängig.
nicht assimiliert: nicht angepasst; gemeint ist: Die Familie hat ihr Judentum nicht aufgegeben.

41,11 f. / 42,34 f. *Jom Kippur ... Rosh Hashanah:* Jom Kippur: Höhepunkt der zehn jüdischen Bußtage, die mit Rosh Hashanah beginnen. Jom Kippur, mit dem Neujahrsfest der höchste jüdische Feiertag, fällt auf den 10. Tischri (nach gregorianischem Kalender im September oder Oktober). Ursprünglich war der Feiertag ein nationaler Bußtag für Sünden. Ein Ritual sah vor, dass der Hohe Priester seine eigenen Sünden, die der Priesterschaft und des ganzen Volkes bekannte, indem er die Hörner eines »Sündenbocks« hielt. Bis heute stehen Reue, die Bitten um Vergebung und Gottes Gnade im Mittelpunkt des Festes.

41,25 / 43,11 *Pessachwoche:* Pessach: urspr. Erntefest, später als Erinnerung an den Auszug aus Ägypten gefeiert (vgl. 2. Mose 12). Pessach wird am Abend des ersten Vollmonds im Frühling begangen. Charakteristisch ist der Verzehr bestimmter Speisen mit symbolischer Bedeutung.

41,26 / 43,12 f. *Kaschruth-Gesetze:* jüdische Speisegesetze, die regeln, welche Nahrungsmittel (wann und wie) verzehrt werden dürfen und welche nicht.

41,29 / 43,15 *Moses: Moses*, *Mose*, (arab.) *Musa*, biblische Gestalt (historisch schwer fassbar); im Alten Testament Führer, Prophet und Gesetzgeber der Israeliten, die er aus Ägypten führte. Seine Lebensgeschichte wird in den alttestamentlichen Büchern Exodus und Deuteronomium erzählt. Der Legende nach hat der Pharao kurz vor Moses Geburt angeordnet, dass alle männlichen Nachkommen der Israeliten zu töten seien. Seine Mutter setzt Moses daraufhin in einem Körbchen auf dem Nil aus. Er wird von der Tochter des Pharaos gefunden und wie ihr eigenes Kind aufgezogen. Als Moses einen Ägypter tötet, der zuvor einen Hebräer umgebracht hat, muss er das Land verlassen. Doch Gott erscheint Moses im Dornbusch, befiehlt ihm die Rückkehr nach Ägypten, um sein Volk ins Land Kanaan (das spätere Palästina) zu führen. Als die Israeliten den Berg Sinai erreicht haben, begibt sich Moses für 40 Tage und Nächte auf diesen Berg. Dort empfängt er die Zehn Gebote, die die grundlegenden Gesetze der Israeliten werden. Moses führt sein Volk insgesamt 40 Jahre durch die Wüste; das Gelobte Land kann er noch vom Gipfel des Gebirges Pisga aus sehen. Sein Nachfolger wird Joshua.

41,31 f. / 43,19 *»mosaischer Konfession«:* Der Begriff wurde von den Nationalsozialisten für die Bezeichnung der Zugehörigkeit zum Judentum eingeführt.

42,2 / 43,23 *Euphemismus:* Beschönigung (rhetorisches Stilmittel).

42,14 / 43,36 *»Zuckerl«:* (südd., österr.) Bonbon.

42,24 f. / 44,11 *Ambivalenzen:* Doppelwertigkeiten, Kehrseiten.

42,29 / 44,15 f. *Sederabende:* der Abend vor Pessach und dem Sabbat.

43,2 / 44,21 *Fabel:* (lat.) *fabula* ›Geschichte, Erzählung, Gespräch‹, hier in seiner ursprünglichen Bedeutung (analog im Übrigen zur Verwendung als literaturwissenschaftlicher Begriff, der das Handlungsgerüst eines dramatischen oder epischen Werkes bezeichnet – heute häufig durch den engl. Begriff *story* ersetzt). *Fabel* bezeichnet aber als Gattungsbegriff auch Tierdichtungen in Vers und Prosa, in deren Mittelpunkt in der Regel die Veranschaulichung eines Lehrsatzes, einer allgemein gültigen Wahrheit o. Ä. steht.

43,3 / 44,21 *Folklore:* (engl.) eigtl. ›Wissen des Volkes‹, Sammelbezeichnung für Volksüberlieferungen (z. B. Lied, Tracht, Brauchtum).

44,3 / 45,22 *Hagadah:* von (hebr.) *lehaggid* ›erzählen‹. Im Judentum ist die Hagadah eine Sammlung nichtgesetzlicher rabbinischer Überlieferungen (Legenden, Parabeln und Geschichten). Dabei liegt der Schwerpunkt auf den die religiöse Praxis und Tradition erläuternden und begründenden Erzählungen, weshalb man bei der Hagadah oft von einer Art »narrativen Theologie« des Judentums spricht.

44,13 / 45,29 *Friedrich Torberg:* d.i. F. Kantor-Berg (1908–1979), österreichischer Schriftsteller, Publizist und Theaterkritiker in Prag und Wien. Er flüchtete vor den Nazis über die Schweiz nach Frankreich und 1940 in die USA, wo er als Drehbuchautor in Hollywood und New York lebte. 1951 kehrte er nach Wien zurück. Torberg wurde insbesondere durch seinen Roman *Der Schüler Gerber hat absolviert* (1930) bekannt, darin scheitert ein Gymnasiast an einem Lehrer und bringt sich schließlich um. In den beiden Erzählbänden um die »Tante Jolesch« (*Die Tante Jolesch oder Der Untergang des Abendlandes in Anekdoten*, 1975; *Die Erben der Tante Jolesch*, 1978) zeichnet Torberg ein satirisch-ironisches Bild des bürgerlichen Judentums der Zwischenkriegszeit.

44,22 f. / 46,7 *Dekonstruktion:* Auflösung des Zusammenhangs, hier eher: Hinterfragung. In der Literaturwissenschaft bezeichnet der Begriff eine Methode, die versucht, die prinzipielle Uneindeutigkeit aller sprachlichen Äußerungen aufzuzeigen. Bedeutung soll hinterfragt (destruiert) und anschließend neu aufgebaut werden, um wieder eingerissen zu werden usw. (De-konstruktion). Hauptvertreter dieser Richtung ist der französische Philosoph Jacques Derrida (geb. 1930).

46,5 / 47,24 *stad:* (österr., bayr.) ruhig, still.

46,11 / 47,29 *BDM:* Abkürzung für »Bund Deutscher Mädel«. Der BDM wurde im Juni 1930 als Untergruppe der vier Jahre zuvor ins Leben gerufenen (männlichen) Hitlerjugend (HJ) gegründet. Mit dem »Gesetz über die Hitlerjugend« vom 1. Dezember 1936 wurde die bis dahin offiziell freiwillige Mitgliedschaft im BDM bindend. Während so genannter »Heimabende« wurden die BDM-Mitglieder insbesondere weltanschaulich indoktriniert; darüber hinaus gehörten Sport und das Erlernen von Volkstänzen und Liedern zum Programm. Im Zweiten Weltkrieg wurde der BDM häufig zu Hilfsleistungen herangezogen, etwa bei der Kinderlandverschickung oder bei der Betreuung verwundeter Soldaten.

46,20 f. / 48,2 *rassischen Reinheit:* hier: Zugehörigkeit zur »arischen Rasse«, vgl. Anm. zu 14,32 / 16,30.

46,25 f. / 48,6–8 *»Und der Jud hat den Brauch ... hinten wieder rein«:* Das »Gedicht« stammt – in mehreren Versionen – aus dem antisemitischen Hetzblatt *Der Stürmer* (s. Anm. zu 52,19 / 53,27) und wurde u. a. auch in antisemitischen Kinderbüchern abgedruckt.

47,2 / 48,18 *W. B. Yeats:* William Butler Y. (1865–1939), irischer Dichter, wurde in Sandymount (heute Teil Dublins) geboren. Erste Gedichte, die sich mit dem heidnischen Erbe Irlands beschäftigen, entstanden bereits Ende der 1880er-Jahre. Als Intendant und Dramatiker des 1904 von ihm zusammen mit Lady Isabella Augusta Gregory gegründeten Abbey Theatre sorgte Yeats dafür, dass das Theater sich zu einem Zentrum der so genannten »keltischen Renaissance« entwickelte und Weltgeltung erlangte. Für sein literarisches Schaffen erhielt er 1923 den Literaturnobelpreis. Sein politisches Engagement für die Unabhängigkeit Irlands fand Niederschlag in seiner Tätigkeit als Senatsmitglied im dann neu gegründeten Freistaat Irland (1922–28).

47,3 / 48,19 f. *»mirror of malicious eyes«:* (engl.) wörtl. ›Spiegel der eifersüchtigen Augen‹, Vers aus W. B. Yeats' Gedicht *A Dialogue of Self and Soul.* Die entsprechende Strophe: »The finished man among his enemies? – / How in the name of Heaven can he escape / That defiling and disfigured shape / The mirror of malicious eyes / Casts upon his eyes until at last / He thinks that shape must be his shape? / And what's the good of an escape / If honour find him in the wintry blast?« (W. B. Yeats, *The Poems*, hrsg. von Richard J. Finnerau, London 1983, S. 236.)

47,31 / 49,13 *Schikse:* (jidd.) Flittchen, auch: Nichtjüdin.

49,1 / 50,14 *Zynismus:* bissig-spöttischer, oft auch verletzender ›Humor‹, bei dem häufig – im Gegensatz zum Sarkasmus – auch der Tod thematisch einbezogen wird.

49,14 / 50,27 *Schillerschen Blankvers:* fünfhebiger reimloser Jambus (mit zweisilbigem Versfuß: unbetonte Silbe, betonte Silbe); Beispiel: »Nicht kalter Strenge klagt die Welt dich an« (aus Schillers *Maria Stuart*).

49,32 / 51,11 *Wilhelm Busch:* deutscher Zeichner, Maler und Dichter (1832–1908), gilt als einer der Gründungsväter des modernen Comics. In seinen überaus erfolgreichen satirischen Bildergeschichten, die häufig von einem drastischen Humor gekennzeichnet sind (u. a. *Max und Moritz*, 1865; *Die fromme Helene*, 1872), nimmt er die menschlichen Schwächen und die oft verlogene Moral aufs Korn. Busch war aber auch Autor ernster Dichtungen und Schöpfer zahlreicher Genre- und Landschaftsbilder.

51,21 / 53,1 *Bar Mitzve:* auch *Bar Mitzvah*, jüdisches Fest der religiösen Mündigkeit für einen Jungen nach der Vollendung des 13. Lebensjahres.

52,4 / 53,18 *Goethe:* Johann Wolfgang G. (1749–1832), deutscher Dichter, Wissenschaftler und Politiker. Goethe wurde in Frankfurt als Sohn einer wohlhabenden und einflussreichen Familie geboren. Er wandte sich zunächst dem Studium der Rechte in Leipzig (1765–68) und Straßburg (1770/71) zu. Im Herbst 1775 folgte er einer Einladung des jungen Herzogs Karl August nach Weimar, wo er fortan hauptsächlich lebte. Er machte schnell Karriere am Hof: So wurde er bereits 1779 Geheimer Rat, übte zahlreiche andere Funktionen aus, etwa als Intendant des Weimarer Hoftheaters, und wandte sich in dieser Zeit von den Kunstauffassungen des Sturm und Drang ab. 1786 machte sich Goethe nach Italien auf, nicht zuletzt, um seinen vielfältigen Verpflichtungen bei Hofe zu entgehen, und kehrte erst zwei Jahre später nach Weimar zurück. Die Jahre 1794–1805 waren bestimmt durch die Freundschaft und die Zusammenarbeit mit Schiller. In dieser Zeit entstand auch der klassische deutsche Bildungsroman *Wilhelm Meisters Lehrjahre* (1795/96). Zugleich widmete er sich wieder dem Faust-Stoff, der ihn seit seiner Jugend beschäftigt hatte (*Faust. Der Tragödie erster Teil*, erstmals gedruckt 1808). Zu Goethes bedeutenden Leistungen der späteren Jahre gehören der Roman *Wilhelm Meisters Wanderjahre* (1829) und der 2. Teil des *Faust* (1832), der die Tragödie zur »Menschheitsdichtung« ausweitet. Goethes Interesse galt auch der Naturwissenschaft (u. a. *Zur Farbenlehre*, 1810). 1811–14 und 1833 erschienen die vier Teile seiner Autobiographie *Aus meinem Leben, Dichtung und Wahrheit*.

52,6 / 53,20 *Sprachduktus:* charakteristische Art der Verwendung von Sprache, Sprachmelodie.

52,8 / 53,22 *deutschen Klassik:* Im Mittelpunkt der deutschen (Hoch-)Klassik (auch »Weimarer Klassik« genannt) steht die Orientierung an der Antike und das Festhalten am Humanitätsideal. Weitere Elemente, die sich in Dramen, Gedichten und epischen Werken wiederfinden, sind die Einheit von Natur und Geist, Verstand und Gefühl. Weltanschaulich und poetologisch schrieb man den Werken der Klassiker einen Stilwillen zu, der auf das »Wahre, Gute und Schöne« zielte. Gewöhnlich datiert man diese Epoche, deren Begriff und Einheit erst im 19. Jh. konstituiert wurden, auf die Zeit zwischen Goethes Italienreise (1786–88) und dem Tod Schillers (1805). Vgl. auch Anm. zu 52,4 / 53,18 (Goethe) und 11,30 / 13,30 (Schiller).

52,19 / 53,27 *»Stürmer«:* Die 1923 in Nürnberg von Julius Streicher (1885–1946) gegründete Zeitschrift *Der Stürmer* betrieb aggressive rassistische Propaganda, vor allem gegen die Juden. Das Blatt, das zeitweise eine Millionenauflage hatte, trug maßgeblich zur antisemitischen Grundhaltung im Reich bei. Streicher, von Beruf eigentlich Volksschullehrer, wurde 1946 im Nürnberger Prozess zum Tode verurteilt und hingerichtet.

52,24 / 54,2 *Rassenschänder:* Der Begriff »Rassenschande« hatte im Nationalsozialismus zwei Bedeutungsebenen: juristisch als Verstoß gegen das »Blutschutzgesetz« vom 15. September 1935. Darunter verstand man »außerehelichen Geschlechtsverkehr zwischen Juden und Staatsangehörigen deutschen und artverwandten Blutes« (Meyers Lexikon, 1936); umgangssprachlich mit Bezug auf jeden Geschlechtsverkehr mit so genannten »Fremdartigen« oder »Farbigen« (vgl. Schmitz-Berning, S. 520 ff.).

53,9 / 54,22 *»Jud Süß«:* NS-Propagandafilm (1940) unter der Regie von Veit Harlan: Der Herzog von Württemberg lässt sich vom Juden Süß-Oppenheimer sein ausschweifendes Leben finanzieren und hebt im Gegenzug den Judenbann auf. Süß-Oppenheimer verliebt sich in die Tochter seines Gegenspielers Sturm. Der verheiratet seine Tochter eilig mit Faber, doch Süß verhaftet Vater und Schwiegersohn Faber und zwingt Dorothea, sich ihm hinzugeben. Als der Herzog sich auch noch zum

Alleinherrscher aufschwingen will, kommt es zum Volksaufstand: Süß wird hingerichtet, alle Juden müssen innerhalb von drei Tagen das Land verlassen. Der Film gilt als »der berüchtigtste, meistzitierte und vermutlich auch folgenreichste Propagandafilm des ›Dritten Reichs‹. Vor 1945 wurde er SS-Kommandos vor Einsätzen gegen Juden gezeigt; nach dem Krieg machte man mit seiner Hilfe im Nahen Osten Propaganda gegen Israel« (*Reclams Filmführer*, hrsg. von Dieter Krusche, Stuttgart 1996, S. 325).

53,10 f. / 54,23 *»... reitet für Deutschland«:* NS-Propagandafilm (1941) nach der Biografie des Freiherrn von Langen: Der ehemalige Rittmeister von Brenken überwindet seine Kriegsverletzung und gewinnt trotz Intrigen gegen ihn ein wichtiges Reitturnier. Die »zweifellos bemerkenswerte sportliche Leistung des Freiherrn von Langen wird hier in den Dienst nationalsozialistischer Propaganda gestellt, obwohl das Wort Nationalsozialismus nicht einmal fällt«. Doch wird die so genannte »Dolchstoß-Legende«, die Legende, dass der Erste Weltkrieg durch Verrat in der Heimat und nicht militärisch an der Front verloren wurde, wieder aufgewärmt und die Weimarer Republik »als Tummelplatz schäbiger Spekulanten gezeichnet, die von Juden beherrscht und dirigiert werden; und vor diesem düsteren Hintergrund erscheint um so strahlender die Führergestalt des einsamen und nie verzagenden Reiters, dem eine innere Stimme den rechten Weg weist, der gegen alle Logik und alle Erwartungen zum Erfolg führt« (*Reclams Filmführer*, S. 536).

53,14 / 54,26 f. *»Ohm Krüger«:* NS-Propagandafilm (1941). Ohm Krüger versucht, den Frieden in Afrika durch einen Vertrag zu wahren, doch der Kampf zwischen Buren und Briten bricht trotzdem los. Lord Kitchener übernimmt dann bei den Briten den Oberbefehl und geht brutal vor: »Farmen werden niedergebrannt, Brunnen verseucht, Frauen und Kinder in ein ›Konzentrationslager‹ gesteckt und der Willkür eines sadistischen Kommandanten [...] ausgeliefert.« Ohm Krüger bemüht sich in Europa um Unterstützung, doch vergeblich: Die britische Diplomatie hat ihn isoliert. Der Film ist der wohl aufwändigste und auch »bekannteste antibritische Propagandafilm des ›Dritten Reichs‹« und wurde »mit dem Ehrentitel ›Film der Nation‹« ausgezeichnet. »Obwohl formal uneinheitlich, hatte er damals einen großen Erfolg« als »Bebilderung des Propagandaschlagworts vom ›heuchlerischen, perfiden Albion‹. Typisches Beispiel: eine Szene, in der britische Missionare beim Gottesdienst Bibeln und Gewehre an mordlustige Eingeborene verteilen« (*Reclams Filmführer*, S. 466).

53,14 / 54,27 *Burenkrieg:* Krieg zwischen Großbritannien und den Burenrepubliken Transvaal und Oranje-Freistaat in Südafrika (1899–1902). Auslöser war die Tatsache, dass die Briten ihre Militärpräsenz am Kap stets verstärkten – seit den 1880er-Jahren waren zudem immer mehr britische Bürger eingewandert, die vom Goldboom (Goldrausch) angelockt wurden. Die Briten beobachteten misstrauisch besonders die Beziehungen zwischen den Buren und dem Deutschen Reich. Nachdem Großbritannien ein Ultimatum der Buren verstreichen ließ und seine Truppen nicht abzog, begann der Krieg, der von den Buren nicht mit einer regulären Armee, sondern mit Bürgerwehren bzw. Milizen geführt wurde. Nach anfänglichen Erfolgen unterlagen die Buren schließlich den britischen Truppen, die besonders brutal vorgingen.

53,15 / 54,27 f. *afrikaanssprechenden:* Afrikaans, früher Kapholländisch, Sprache der Buren in Südafrika, die wesentlich vom südniederländischen Dialekt abgeleitet ist, den die ersten Siedler Mitte des 17. Jh.s gebrauchten.

53,17 f. / 54,30 *für mich weit eindrucksvollere Film:* Gemeint ist der Film *Carl Peters* (mit Hans Albers, 1941), der den umstrittenen deutschen Kolonialpolitiker als strahlenden Helden porträtiert. In diesem Film werden erneut antibritische Klischees bemüht – Peters hindert z. B. einen mit britischer Genehmigung tätigen Sklavenhändler daran, sein Geschäft auszuüben. Gleichzeitig werden antisemitische Vorurteile geschürt: Juden hindern den großen Patrioten Peters daran, den ersehnten Gouverneursposten in Afrika zu erhalten. Trotz seines Scheiterns ist Peters als durch und durch positive Figur gezeichnet, die aus eigenem Antrieb und fast im Alleingang die deutschen Kolonien sichert. Von den tatsächlichen Gräueltaten des historischen Peters berichtet der Film nichts.

53,19 / 54,31 *deutschen Kolonie in Ostafrika:* Von 1885 bis 1918 stand das Gebiet der heutigen Republiken Tansania, Ruanda und Burundi unter der Bezeichnung »Deutsch-Ostafrika« unter so genannter deutscher Schutzherrschaft.

54,10 / 55,21 *Grillparzer:* Franz G. (1791–1872), österreichischer Dichter, verfasste zahlreiche Tragödien, in denen er Elemente des Wiener Volksstücks mit solchen der Romantik und besonders der deutschen Klassik verband. Er gehört als Vertreter eines psychologischen Realismus zu den bedeutendsten Autoren des 19. Jh.s mit Trauerspielen wie *Das Goldene Vließ* (Trilogie, 1822) oder *Ein Bruderzwist in Habsburg* (1872). Grillparzer schuf darüber hinaus auch ein Märchendrama (*Der Traum ein Leben*, 1840), ein Lustspiel (*Weh dem, der lügt*, 1840) und war Schöpfer eines umfangreichen lyrischen Werkes, das aber größtenteils postum veröffentlicht wurde. Zu seinen Prosawerken zählt die deutlich autobiographisch gefärbte Novelle *Der arme Spielmann* (1848).

54,12 / 55,24 *Prosa:* Rede oder Schrift in ungebundener Form im Unterschied zur Poesie.

54,18 / 55,30 *Gerhart Hauptmann:* deutscher Dramatiker und Schriftsteller (1862–1946), Hauptvertreter des Naturalismus, dem er zum Durchbruch verhalf. Die Vertreter dieser literarischen Strömung (um 1870–1900) zielten auf eine naturgetreue Widerspiegelung der empirisch erfassbaren Realität und wendeten sich (bahnbrechend) ihrer direkten sozialen Umwelt zu (vor allem den ärmeren Bevölkerungsschichten). Nach ersten erfolgreichen Arbeiten in verschiedenen literarischen Genres (z. B. *Bahnwärter Thiel*, 1888), wurde Hauptmann besonders als Dramatiker berühmt. *Vor Sonnenaufgang* (1889) handelt vom Verfall mehrerer Bauernfamilien, die aufgrund von Kohlevorkommen unter ihren Feldern nur kurzzeitig zu Wohlstand kommen, und gilt als grundlegendes Werk des Naturalismus. In seinem bedeutendsten Theaterstück *Die Weber* (1892) widmet sich Hauptmann den schlesischen Weberaufständen. Er erhielt 1912 den Literaturnobelpreis.

54,22 / 55,34 *Kaiser Augustus:* urspr. Gaius Octavius, nach seiner Adoption Octavian(us) (63 v. Chr. – 14 n. Chr.), erster römischer Kaiser. Augustus verband sich 43 v. Chr. mit Antonius und Lepidus zum Zweiten Triumvirat und schlug ein Jahr später bei Philippi Brutus und Cassius, die Mörder seines Adoptivvaters Caesar. 31 v. Chr. errang er in der Auseinandersetzung mit Antonius die Alleinherrschaft, vier Jahre später erhielt er vom Senat den Ehrennamen Augustus, der zum Titel der römischen Kaiser wurde. – Die hier erwähnte Biographie ist vermutlich von Karl Hönn (*Augustus*, Wien 1938).

54,22 / 55,35 *Hannibal:* karthagischer Feldherr (247/246–183 v. Chr.). Hannibal löste den Zweiten Punischen Krieg (zwischen Rom und Karthago) aus, in dem er 218 v. Chr. mit einer riesigen Streitmacht die Alpen überschritt, was bis dahin kaum für möglich gehalten wurde. Ein Jahr später besiegte die Armee unter seiner Führung die Römer am Trasimenischen See und 216 v. Chr. bei

Cannae. Hannibal eroberte fast ganz Unteritalien, wurde aber von Scipio 202 v. Chr. bei Zama besiegt. – Der hier erwähnte Hannibal-Roman ist vermutlich das erfolgreiche Jugendbuch von Mirko Jelusich, *Hannibal*, Wien/Leipzig 1934.

54,24 / 55,37 *Eskapismus:* Hang zur Flucht vor der Wirklichkeit in eine imaginäre Scheinwirklichkeit.

55,14 / 56,24 *prekäre:* gefährliche.

55,33 / 57,8 *Marterl:* Marienfigur.

56,9 / 57,18 *»Volkserhebung«:* hier: nationalsozialistische Machtergreifung in Österreich, die durch den »Anschluss« Österreichs an das Deutsche Reich 1938 abgeschlossen wurde.

57,29 / 59,4 f. *Heilsarmee:* 1878 in England gegründete, militärähnlich geordnete religiöse Gemeinschaft, die wirtschaftliche Not und soziales Elend zu lindern versucht.

57,34 / 59,10 *Mutter-Tochter-Neurose:* seelisch verursachte, krankhafte Verhaltensanomalie, hier durch eine widersprüchliche Beziehung zwischen Mutter und Tochter.

58,3 f. / 59,13 f. *pace Sigmund Freud:* (engl.) *pace* ›Geschwindigkeit, Richtung‹, etwa: »in dieser Richtung Freud«; hier im Gegensatz dazu gemeint. Bezug auf die Annahme Sigmund Freuds, dass mit dem Erkennen (und dem Aussprechen) der Ursachen einer seelischen Störung der erste und wesentliche Schritt zur Heilung getan ist (bei der komplexen Beziehung zwischen Klüger und ihrer Mutter nicht der Fall).

58,29 / 60,6 *Kastration:* Entmannung.

59,2 / 60,11 *malträtierte:* schlecht behandelte, quälte.

59,25 / 60,35 f. *Michelangelo Buonarotti:* italienischer Bildhauer, Maler, Baumeister, Dichter (1475–1564). Michelangelo arbeitete 1496–1501 erstmals in Rom, es entstand u. a. die *Pietà* (Petersdom). Nach seiner Rückkehr nach Florenz schuf er die monumentale Marmorstatue *Da-*

vid. 1505 erhielt er den Auftrag für das Grabmal von Papst Julius II. in Rom, an dem er nahezu vier Jahrzehnte arbeitete. Zwischen 1508 und 1512 schuf er die monumentale Deckenausmalung in der Sixtinischen Kapelle (»Schöpfungsgeschichte«), nach 1534 entstand dort u.a. das *Jüngste Gericht*. Ab 1539 wirkte er an der Neugestaltung des Kapitols in Rom mit. Besonders seine Darstellungen des menschlichen Körpers waren stilprägend für eine Reihe bedeutsamer Künstler wie Raffael (1483–1520) und Tizian (um 1488–1576).

60,20 / 61,26 *Mädchenlyzeums:* (österr.) Mädchengymnasiums.

61,19 f. / 62,27 f. *Kartenaufschlägerin:* Kartenlegerin.

61,22 / 62,30 *Wunderrabbiner:* Seit dem 14. Jh. sind *Rabbiner* besoldete Gelehrte, die im Dienst einer jüdischen Gemeinde stehen und dort die Aufgaben eines Predigers, Seelsorgers, Religionslehrers und manchmal die eines Richters übernehmen. Das Wort stammt aus dem Hebräischen (hebr. *rav* ›groß, von hohem Rang‹). Seit dem 1. Jh. war *Rabbi* die Bezeichnung für einen jüdischen Gelehrten. Allerdings mussten sich diese Theologen ihren Lebensunterhalt selbst durch Nebentätigkeiten erwirtschaften, weil mit der Thora kein Geld verdient werden durfte. Erst wegen der stets umfangreicher werdenden Tätigkeiten für die Gelehrten wurde dieses Gebot aufgehoben. Es gab und gibt immer wieder Rabbiner, denen man nachsagt, sie könnten auch Wunder vollbringen, wie Krankheiten heilen o. Ä. Diese *Wunderrabbiner* waren häufiger auch Gegenstand literarischer Texte, so etwa in Else Lasker-Schülers (1869–1945) Erzählung *Der Wunderrabbiner von Barcelona* (1921).

61,24 / 62,32 *Goj:* jiddische Bezeichnung für nicht der jüdischen Glaubensgemeinschaft Angehörige (Plural: *Gojim*).

62,5 / 63,11 *Pogrome:* mit Plünderungen und Gewalttaten verbundene Judenverfolgung, im weiteren Sinn jede

Ausschreitung gegen Minderheiten. Der Novemberpogrom von 1938 in Deutschland (die so genannte »Reichskristallnacht«) war der Auftakt zu den massiven Judenverfolgungen im Reich.

62,15 / 63,22 *Kindertransport:* Nach dem großen Novemberpogrom in Deutschland wurde durch verschiedene Organisationen versucht, wenigstens Kinder aus Deutschland und Österreich zu evakuieren. Jüdische Verbände organisierten Kindertransporte nach Palästina und nach Großbritannien, das sich als einziges europäisches Land bereit erklärt hatte, jüdische Kinder aufzunehmen. Die Kinder durften nur ohne ihre Eltern einreisen; sie wurden dann gleichmäßig auf England, Schottland und Wales verteilt. Einige von ihnen kamen in Pflegefamilien, andere in Waisenhäusern unter. Der erste Kindertransport nach Großbritannien verließ Deutschland kaum sechs Wochen nach dem 9. November 1938, der letzte nur zwei Tage vor Ausbruch des Zweiten Weltkriegs, der dem Programm ein jähes Ende setzte, durch das rund 10 000 Kinder im Alter von 5 bis 17 Jahren in Sicherheit gebracht werden konnten.

62,32 / 64,3 f. *spintisierte:* grübelte, hier: fantasierte.

64,5 / 65,10 *septische:* ansteckende.

65,10 / 66,14 *Adalbert Stifter:* österreichischer Dichter und Maler (1805–1868). Stifter wurde in Oberplan (heute Tschechien) geboren und studierte in Wien Jura. Allerdings musste er das Studium abbrechen und sich zunächst als Privatlehrer durchschlagen. Er verfasste anfangs noch der Romantik verhaftete Novellen (*Der Hochwald*, 1841). 1848/49 wurde er in das Frankfurter Nationalparlament gewählt, das erfolglos versuchte, ein liberales deutsches Bündnis unter Einschluss Österreichs zu errichten. Zwischen 1850 und 1856 arbeitete er als Inspektor für die österreichischen Volksschulen bzw. als Schulrat. 1853 wurde er Landeskonservator von Oberösterreich. Nach langer schwerer Krankheit nahm er sich vermutlich selbst das Leben. In seinen Novellen und Erzählungen strebt Stifter nach Maß und Ordnung und einem klassischen Humanitätsideal. Zu seinen wichtigsten Werken gehören die Novellensammlung *Bunte Steine* (1853) sowie der Bildungsroman *Der Nachsommer* (1857).

Thomas Bernhard: österreichischer Schriftsteller (1931–1989), machte sich besonders als Autor von Romanen einen Namen. Bereits in seinem Erstlingswerk *Frost* (1968) sind alle Grundthemen (Tod und Krankheit, Verzweiflung und Wahnsinn) enthalten, die er auch in seinen weiteren epischen Werken mit oft groteskem Humor variiert. Bernhards Figuren sind Gefangene ihrer selbst, ununterbrochen monologisierend. Es herrscht eine allumfassende, statische Isolation und Fremdheit. Auch Bernhards Dramen bleiben dem in den Romanen inszenierten Weltekel verhaftet; sie unterlaufen bewusst das dem Theater innewohnende dialogische Prinzip und werden konsequent auf Illusionsdurchbrechung angelegt. Zahlreiche Stücke sorgen mit ihren Provokationen für Skandale, so etwa das Drama *Heldenplatz* (1988), das Österreichs Umgang mit jüdischen Emigranten zum Thema hat.

65,12 / 66,16 *hinterfotzigen:* (umgangsspr.) sich nicht um Benimm scherenden, intriganten.

65,20 f. / 66,24 f. *Esterhazy-Park:* rund 10 400 m² große Parkanlage im 6. Wiener Gemeindebezirk (im Text fälschlich im 7. Bezirk); entstanden im späten 18. Jh. Der Name verweist auf das ungarische Magnatengeschlecht Esterhazy, aus dem österreichische Heerführer und Diplomaten hervorgingen.

66,1 / 67,4 *»Scharführer«:* Dienstgrad der SS; vergleichbar mit einem Unterfeldwebel in der Wehrmacht.

66,14 / 67,18 *sieben Schleiern:* Anspielung auf den Tanz der Salome, die als Belohnung für ihren liebreizenden Tanz von König Herodes den Kopf Johannes des Täufers forderte (vgl. die biblische Darstellung Mk. 6,21–28 und Mt. 14,6–11).

69,7 / 69,7 *Dachau:* Konzentrationslager nordwestlich von München. Das Lager wurde ursprünglich mit einer Kapazität für 5000 Häftlinge bereits im März 1933 in Betrieb genommen und war während der 12 Jahre seiner Existenz hauptsächlich ein Internierungslager für politische Oppositionelle. Darüber hinaus war es das Modell- und Ausbildungslager der SS-Totenkopfverbände, aber auch für militärische Einheiten der Waffen-SS. Nach dem Novemberpogrom von 1938 wurden 10 000 Juden aus ganz Deutschland in Dachau interniert; die meisten von ihnen wurden aber zunächst wieder entlassen. Von den insgesamt ca. 206 000 Gefangenen starben rund 31 000 im Lager, die meisten während des Kriegs. Eine Gesamtzahl der Opfer lässt sich nicht mit Sicherheit ermitteln, da es auch Einzelhinrichtungen und undokumentierte Massentötungen (allerdings nicht in Gaskammern) gab und außerdem viele Opfer auf den Todesmärschen starben. Jüdische Gefangene wurden nach der Wannseekonferenz 1942 wie aus den anderen Konzentrationslagern auf Reichsgebiet in die Vernichtungslager im Osten deportiert. Das Lagerleben war durch Zwangsarbeit, Hunger und Angst vor den sadistischen SS-Wachen gekennzeichnet. Der Tropenmediziner Claus Schilling ließ im Lager eine Malaria-Versuchsstation errichten, in der rund 1100 Häftlinge mit Malaria infiziert wurden. 1944 gab es zahlreiche Außenlager von Dachau in der Nähe von Rüstungsfabriken. In diesen waren hauptsächlich jüdische Häftlinge untergebracht. Bei der Befreiung von Dachau und seinen Außenlagern im April 1945 waren rund 30 % der Überlebenden Juden; die Befreiten kamen insgesamt aus über 30 Nationen.

69,7 / 69,8 *Christiane:* Ch. Vulpius (1765–1816), Lebensgefährtin und später Ehefrau (1806) von Johann Wolfgang Goethe.

69,9 / 69,9 f. *Mahnmal in Buchenwald:* Am Südhang des Ettersbergs, oberhalb von Weimar, wo sich das KZ Buchenwald befand, entstand nach dem Krieg eine monumentale Denkmalanlage, die 1958 mit den erhaltenen Bereichen des ehemaligen Lagers als »Nationale Mahn- und Gedenkstätte Buchenwald« eingeweiht wurde. Das Mahnmal »folgt dem Konzept ›durch Sterben und Kämpfen zum Sieg‹ und weist dem Besucher einen Weg vom Tod ins Leben« (www.buchenwald.de, offizielle Homepage der Gedenkstätte Buchenwald).

69,17 f. / 69,19 *Hainbunddenkmal:* Der Hainbund war eine Dichtervereinigung junger, meist norddeutscher Studenten der Universität Göttingen. Sie hatten sich den Dichter Friedrich Gottlieb Klopstock (1724–1803) zum Vorbild genommen. Der Hainbund wurde im Jahr 1772 gegründet, zerfiel aber nach den Examen seiner Mitglieder um 1774/75 wieder, als diese Göttingen verließen. Den Namen der Vereinigung entlehnten die Dichter Klopstocks Gedicht *Der Hügel und der Hain.* Organ dieses Kreises war der 1770 erstmals erschienene *Göttinger Musenalmanach.* 1872 wurde dem Hainbund von der Stadt Göttingen ein Denkmal gestiftet.

70,24 f. / 70,26 *die KZs waren selbst Nachahmungen:* Konzentrationslager – hier im allgemeinsten Sinn verstanden als gefängnisähnliche Einrichtungen zur massenhaften Internierung von politisch und/oder weltanschaulich missliebigen Personen – wurden bereits 1895 im revolutionären Kuba erstmals errichtet. Die spanischen Kolonialherren sperrten 400 000 Bauern in befestigte Lager. Auch im Burenkrieg (s. Anm. zu 53,14 / 54,27) wurden Konzentrationslager gebaut. Die Unterschiede dieser historischen »Vorläufer« zu den späteren nationalsozialistischen Konzentrations- und Vernichtungslagern liegen aber auf der Hand (industriell durchorganisierte Tötungsmaschinerie, Verwaltung).

70,27 / 70,28 *Hiroshima:* Stadt in Japan auf der Insel

Honshu, über der am 6. August 1945 auf Befehl des damaligen US-Präsidenten Harry S. Truman (1884–1972) die erste Atombombe abgeworfen wurde. Der amerikanische Lufteinsatz sollte Japan zur sofortigen Kapitulation zwingen: Rund 200 000 Menschen fielen dem Bombenangriff zum Opfer, 100 000 wurden verletzt. Die Bombe zerstörte eine Fläche von mehr als 10 km^2 innerhalb der Stadt.

71,1 / 70,37 *Origami:* japanische Kunst des Papierfaltens (neben Blumenstecken und der Teezeremonie wichtige kulturelle Praxis).

71,4 / 71,2 *Allotria:* Spielerei, Unfug.

71,17 f. / 71,16 f. *Stammlager Auschwitz:* vgl. hier S. 111 f.

71,20 f. / 71,20 f. *»nord- und südliches Gelände … ruht im Frieden seiner Hände«:* Zitat aus Goethes Vierzeiler aus dem Gedicht *Talismane* im *Buch des Sängers* (*West-östlicher Divan*, 1819; erweitert 1827): »Gottes ist der Orient! / Gottes ist der Okzident! / Nord- und südliches Gelände / Ruht im Frieden seiner Hände«.

71,23 / 71,23 *Vorhölle:* Anspielung auf die Höllenkonzeption in der *Divina Commedia* von Dante Alighieri (s. Anm. zu 219,7 / 221,12). Diese Bezugnahme auf Dantes Inferno ist in vielen Texten der Holocaust-Literatur zu finden, verstörenderweise auch in Texten von Tätern (vgl. dazu: Thomas Taterka, *Dante Deutsch. Studien zur Lagerliteratur*, Berlin 1999).

72,5 / 72,2 *Habilitanden:* Personen, die zur Habilitation zugelassen sind. Durch die Habilitation – nach der Promotion in der Regel die zweite, größere wissenschaftliche Leistung eines Akademikers – erwirbt man die Lehrberechtigung (»venia legendi«) an Hochschulen. In Deutschland fällt die Habilitation als Voraussetzung, eine Professur zu übernehmen, zugunsten anderer Leistungen und Fähigkeiten zunehmend weg.

73,24 / 73,25 *Traumata:* Pluralform von *Trauma*: als todesähnlich erlebte Situation, die das Selbst- und Weltverständnis des Betroffenen tief verändert (bei Folter, Entführung, Krieg, Geiselnahme, Naturkatastrophen u. Ä.).

74,15 / 74,14 *Rettung eines jüdischen Kindes:* Bezug auf das Schicksal von Stefan Jerzy Zweig, das in Bruno Apitz' (1900–79) Roman *Nackt unter Wölfen* (1958) beschrieben wird. Im Roman wird das Kind, das nach einem Todesmarsch unentdeckt ins Lager Buchenwald kommt, von Mitgliedern des kommunistischen Widerstands versteckt und schließlich gerettet. Dem Roman, der zum meist verkauften Titel der DDR-Literatur auch im Ausland avancierte, wurde oftmals vorgeworfen, der Marginalisierung der jüdischen Opfer des Holocaust in der DDR-Öffentlichkeit Vorschub geleistet zu haben, da er nur eine einzige jüdische Figur aufnimmt – eben das hilflose Kind –, während er den kommunistischen Widerstand im Lager glorifiziert. Faktisch wirkte Apitz' Roman als eine Art nachgereichter Gründungsmythos der DDR. Apitz hat die Geschichte Stefan Jerzy Zweigs freilich verfälscht: Zwar kam Zweig, der am 18. Januar 1941 in Krakau (Polen) geboren wurde, tatsächlich am 5. August 1944 in Buchenwald an, doch wurde er nicht von den Häftlingen versteckt, sondern bekam die Häftlingsnummer 67 509, d. h., seine Existenz war im Lager bekannt.

74,31 f. / 74,31 f. *katholischer Priester … vergasen lassen:* nicht ganz zutreffender Bezug auf die Rettungstat des katholischen Priesters Maximilian Maria (Rajmund) Kolbe (1894–1941), der sich 1941 in Auschwitz für den Häftling Francziczek Gajowniczek opferte: Bei einem Appell wurden zehn Männer ausgesondert, die als Strafaktion wegen der Flucht eines Gefangenen in den Hungerbunker eingeschlossen werden sollten. Einer der Ausgesonderten, Gajowniczek, erinnerte unter Tränen an seine beiden Söhne; der am Appell teilnehmende Kolbe trat hervor und bot sein Leben für das des Familienvaters, was der SS-Kommandoführer akzeptierte.

Kolbe wurde statt seiner in den Hungerbunker gesteckt. Nachdem die anderen neun Leidensgenossen verhungert waren, Kolbe aber noch am Leben war, verabreichte ein SS-Scherge ihm schließlich eine tödliche Giftspritze. Kolbe wurde 1971 selig und 1982 durch Papst Johannes Paul II. heilig gesprochen.

75,2 f. / 74,37 *Agitprop-Burschen: Agitprop* aus »Agitation« und »Propaganda«. Das so genannte »Agitproptheater« war eine Theaterform, die der politischen Agitation und Propaganda diente. Entstanden war es zur Zeit der Russischen Oktoberrevolution im Dienst der marxistisch-leninistischen Beeinflussung der Zuschauer; in Deutschland vor allem zur Zeit der Weimarer Republik (besonders seit 1924/25) populär.

75,11 / 75,10 *Peter Weiss:* deutscher Schriftsteller und Grafiker (1916–82). Weiss' Flucht vor dem Nazi-Regime führte ihn 1939 über England, Prag und die Schweiz nach Schweden. Seine künstlerische Karriere begann zunächst als Maler, ehe er sich ab 1947 erstmals literarisch (zu Beginn auf Schwedisch) engagierte (*Die Insel*, 1947). Es folgten zahlreiche Erzählungen, Romane, Dramen und Filmproduktionen. Weiss montierte aus den Aussagen des Frankfurter Auschwitz-Prozesses (s. Anm. zu 75,19 / 75,19) ein Theaterstück, das 1965 in der Bundesrepublik und der DDR gleichzeitig uraufgeführt wurde: *Die Ermittlung. Oratorium in elf Gesängen.* Das Drama, das als ein Prototyp des dokumentarischen Theaters gilt, will – so Weiss – nur ein Konzentrat des Prozesses sein, ohne zu werten. Freilich betont der Autor in dem Stück sehr stark jene Aussagen, die sich ausführlich mit dem Profit der Wirtschaft am KZ-System auseinander setzen. Bereits in dem Aufsatz *Meine Ortschaft* (1963) hatte sich Weiss dem Thema Auschwitz gewidmet. Wichtige Werke Weiss' sind *Die Ästhetik des Widerstands* (1975–81), in der die Geschichte der Arbeiterbewegung zwischen 1918 und 1945 dargestellt wird, *Die*

Verfolgung und Ermordung Jean Paul Marats (1964) sowie *Hölderlin* (1971). 1982 wurde er postum mit dem Büchner-Preis geehrt.

75,19 / 75,19 *Frankfurter Auschwitz-Prozeß:* Schwurgerichtsverhandlung vom 3. April 1964 bis 20. August 1965 gegen Angehörige der SS-Wachmannschaften von Auschwitz, die auf Betreiben des hessischen Generalstaatsanwaltes Fritz Bauer zustande kam. Im Verlaufe dieses Verfahrens wurden erstmals jene Charakteristika des Lagers bzw. des gesamten Holocaust von der Öffentlichkeit breiter wahrgenommen, die die Einmaligkeit dieses Völkermords ausmachen: Auschwitz war eine hocheffiziente Vernichtungsfabrik, die bis ins Detail nach industriellen Mustern betrieben wurde.

76,4 / 76,3 *Claude Lanzmann:* Filmemacher (geb. 1925). Lanzmann studierte Philosophie in Tübingen und Paris. Er wirkte als Professor für Philosophie und französische Literatur u.a. an der Freien Universität Berlin, später als Professor für Dokumentarfilme an der European Graduate School in Saas-Fee (Schweiz).

76,5 / 76,4 *Shoah-Film:* über neunstündiger Dokumentarfilm (1985) von Claude Lanzmann. Der Regisseur interviewt in seinem Film Zeitzeugen des Holocaust; meist sind es Polen und Deutsche, die in den Lagern tätig waren oder mitbekamen, was in ihnen vorging, jedoch nur wenige Opfer. Die Metapher *Shoah*, die dem Film den Titel gab, ist ein weiterer Begriff für den Mord an den europäischen Juden; er kommt aus dem Hebräischen und bedeutet eigentlich ›Katastrophe‹. *Shoah* wird häufig synonym mit »Holocaust« verwendet, wobei *Shoah* in Israel (aber auch Frankreich), »Holocaust« dagegen eher in Europa verbreitet ist. In jüngster Zeit werden die Begriffe in direkten Bezug gebracht: Danach bezieht sich *Shoah* auf die Vernichtung der europäischen Juden, während »Holocaust« auch die Vernichtung anderer Opfergruppen mit einschließt (vgl. Anm. zu 93,21 /

94,9). *Shoah* bezeichnet somit, so der ehemaligen Direktor des »US-Holocaust Memorial Museums« Walter Reich, den »grauenhaften Kern des Holocaust«.

77,33 / 77,34 *Muselmänner:* Ausdruck der Lagersprache (Sprache der Häftlinge in den KZs und Ghettos); Bezeichnung für die kurz vor dem Hungertod stehenden, physisch und psychisch gebrochenen Häftlinge, die nur auf den eigenen Tod warten. Ihre Bewegungen waren mechanisch geworden, was angeblich an betende Muslime erinnerte.

78,23 / 78,23 *Zigeunerkinder:* Zigeuner: diskriminierender Begriff für Sinti und Roma. Der Ursprung der Sinti und Roma liegt in der indischen Provinz Punjab. Sie wurden zunächst von den Arabern auf deren Feldzügen im 9. und 10. Jh. verschleppt, um diese gegen die Soldaten Ost-Roms kämpfen zu lassen. Auch im 11. Jh. wurden sie als Sklaven auf den Balkan verkauft, von wo aus sie sich in ganz Europa verbreiteten. Unter der NS-Herrschaft wurden rund 500 000 Sinti und Roma ermordet. Heute werden sie in der Bundesrepublik Deutschland offiziell als Minderheit anerkannt.

80,11 / 81,5 *Joseph II.:* ältester Sohn (1741–90) Kaiser Franz' I. und Maria Theresias, wurde 1765 Kaiser des Heiligen Römischen Reiches Deutscher Nation und Mitregent seiner Mutter. Ab 1780 regierte er allein. 1772 erwarb er für Österreich Galizien, 1775 die Bukowina. Joseph war ein radikaler Reformer und beseitigte 1781 die bäuerliche Leibeigenschaft, gewährte Religionsfreiheit und löste die Klöster auf.

80,14 / 81,8 f. *schon früher als Rekruten kennengelernt:* Theresienstadt wurde Ende des 18. Jh.s von Kaiser Joseph II. als Garnisonsstadt gegründet und nach dessen Mutter, der Kaiserin Maria Theresia, benannt.

80,19 / 81,14 *Ferdinand von Saar:* österreichischer Schriftsteller (1833–1906). Zunächst versuchte sich Saar als Dramatiker, dann als Novellist; 1865 debütierte er als

Erzähler mit der Novelle *Innocens. Ein Lebensbild.* Zahlreiche Novellen, Erzählungen und Romane folgten. Saar gilt neben Marie von Ebner-Eschenbach als der bedeutendste realistische Erzähler der österreichischen Literatur des 19. Jh.s. In seinen Novellen folgt er einem humanistischen Ethos und wirft einen scharfen Blick auf die zeitgenössische Gesellschaft.

81,8 / 82,3 f. *Judenhäuser:* Bereits kurz nach dem Novemberpogrom (9./10. November 1938) sprach sich Hermann Göring (1893–1946; zu dieser Zeit zuständig für die deutsche Wirtschaft und damit auch für die Beschlagnahmung jüdischen Vermögens) für eine Zusammenlegung bzw. gemeinsame Unterbringung der Juden in einzelnen Häusern (d.h. für eine Ghettoisierung ohne Ghetto) aus. Am 30. April 1939 trat dann das »Gesetz für Mietverhältnisse mit Juden« in Kraft: »Die Gemeindebehörde kann Anordnungen über die Anmeldung von Räumen erlassen, die an Juden vermietet sind oder die für die Unterbringung von Juden nach den Vorschriften dieses Gesetzes in Anspruch genommen werden können« (*Gesetze des NS-Staates*, zs.gest. von Uwe Brodersen, Bad Homburg [u.a.] 1968, S. 139). Das Gesetz bedeutete faktisch, dass jüdische Mieter keinen Mieterschutz mehr genossen und die Gemeinden berechtigt waren, weitere Menschen in jüdische Wohnungen zwangseinzuweisen.

81,15 / 82,11 *Birkenau:* vgl. hier S. 113 ff.

81,18 / 82,14 f. *Christianstadt … Groß-Rosen:* vgl. hier S. 117–119.

81,30 / 82,28 *brüskieren:* vor den Kopf stoßen.

82,7 / 83,2 *nivelliert:* (Unterschiede) durch Angleichung aufheben, mildern.

83,10 / 84,3 *Enzephalitis:* bakteriell verursachte Gehirnentzündung.

83,12 / 84,5 *Gelbsucht:* gelbliche Verfärbung von Haut, Augen und Schleimhäuten. Gelbsucht ist ein Symptom, dem mehrere Krankheitsbilder zugrunde liegen können. Oft ist eine Hepatitis (Leberentzündung) der Auslöser.

83,15 / 84,9 *Gastroenteritis:* bakteriell verursachte Magen-Darm-Entzündung.

83,31 / 84,26 *Theodor Herzl:* Journalist, Schriftsteller und Politiker (1860–1904). Aufgrund der öffentlichen Degradierung des – offensichtlich – zu Unrecht der Spionage für Deutschland angeklagten jüdischen Offiziers Alfred Dreyfus (1859–1935, die so genannte »Dreyfus-Affäre«, 1894–1906) und der mit ihr einhergehenden antisemitischen Übergriffe in Frankreich bemerkte Theodor Herzl, dass eine wirkliche Integration der Juden in Europa offenbar nicht gelingen könne. Er forderte daher 1896 in seiner gleichnamigen Programmschrift einen eigenen »Judenstaat« und wurde somit zum Begründer des politischen Zionismus.

84,1 / 84,30 f. *»Das neue Ghetto«:* Drama von Theodor Herzl aus dem Jahr 1894, das die Assimilation (das Aufgehen in einem anderen Volk) und den Übertritt der Juden zum Christentum als Irrwege versteht.

84,13 / 85,6 *Hypochondrie:* Überzeugung, an einer Krankheit zu leiden, jedoch ohne pathologische Grundlage.

84,31 / 85,25 *Gnade der späten Geburt:* wörtliches Zitat aus einer Rede des deutschen Alt-Bundeskanzlers Helmut Kohl (geb. 1930) vor dem israelischen Parlament 1985; er betonte damit den Umstand, dass er und seine Generation zu jung gewesen seien, um in die Verbrechen der Nationalsozialisten aktiv verstrickt zu werden. Der promovierte Historiker Kohl ist für diese Formulierung häufig kritisiert worden, da sie eine Distanzierung von der (eigenen) Vergangenheit impliziere bzw. die Konsequenzen, die aus der Geschichte erwachsen, verdecke.

85,23 f. / 86,17 *tätowierte Auschwitznummer:* Bei der Aufnahme ins Lager bekamen die Häftlinge in Auschwitz eine Nummer in den Unterarm tätowiert, die ihren Namen ersetzte.

86,21 / 87,14 *Kinderheim:* vgl. hier S. 108–110.

86,28 / 87,20 *jüdische Lagerverwaltung:* vgl. hier S. 109.

87,32 f. / 88,23 *Exzentrizitäten:* vom normalen Verhalten – oft auch originelles – abweichendes Tun.

87,34 / 88,24 *paradoxen:* widersinnigen, einen Widerspruch in sich enthaltenden.

88,26 / 89,15 *Metapher:* sprachlicher Ausdruck, bei dem ein Wort oder eine Wortgruppe aus seinem eigentlichen Bedeutungszusammenhang in einen anderen übertragen wird, ohne dass ein direkter Vergleich zwischen Bezeichnendem und Bezeichnetem vorliegt; bildhafte Übertragung, häufig als verkürzter Vergleich definiert, da das Vergleichspartikel »wie« fehlt: »Achill war ein Löwe im Kampf«.

89,4 f. / 89,29 *Jugendbewegungen:* in Europa besonders zu Anfang des 20. Jh.s. Hintergrund war der Wunsch von Jugendlichen nach Selbstorganisation, der in der Unzufriedenheit mit den bürgerlichen Werten und Lebensformen wurzelte. Ein neues Ideal wurde formuliert: Leben im Einklang mit der Natur, abseits der Großstädte. Die Jugendlichen begeisterten sich in der Folge für Folklore, romantische Literatur und volkstümliche Dichtung. Neben gemischten Gruppen (erstmals ab 1911) entstanden nun auch solche mit stark ideologischem (sozialistischem, nationalem, katholischem, evangelischem etc.) Gepräge. Später kam es zu Zusammenschlüssen der Jugendgruppen zu übergreifenden Bünden, etwa zum Bund der »Wandervögel« oder der »Pfadfinder«. Jüdische Bewegungen entstanden zunächst in Deutschland, da dort Juden die Mitgliedschaft in den allgemeinen Jugendbewegungen verboten war. Schnell wurden diese jüdischen Organisationen unter dem Eindruck der politischen Ereignisse kulturell und politisch-ideologisch aktiv. Besonders stark entwickelten sich – insbesondere auch in Osteuropa – zionistisch ausgerichtete Jugendbewegungen. Im Krieg spielten die jüdischen Jugendbewegungen eine große Rolle als Widerstandsorganisation in den besetzten Gebieten. Vielfach wurden sogar ranghöhere Mitglieder, die sich bereits nach Palästina oder die Sowjetunion gerettet hatten, zurückgeschickt, um Widerstandsaktionen zu koordinieren oder zu leiten. Zu diesen Widerstandsaktionen gehörte auch die Schulung der in den Ghettos gefangenen Jugendlichen.

89,5 f. / 89,30 *Zionismus:* auf Theodor Herzl zurückgehendes Programm, das die Gründung eines Staates für Juden zum Ziel hatte (s. Anm. zu 83,31 / 84,26).

89,15 / 90,4 *Erez Israel:* (hebr.) ›Land Israel‹; Begriff für die Territorien, die Bestandteile des Jüdischen Königreichs zur Zeit des Ersten und Zweiten Tempels (bis 70 n. Chr.) waren, häufig auch für Palästina während des britischen Mandats.

89,17 / 90,5 *Hora:* jüdischer Volkstanz, bei dem sich die Tänzer einhaken und zur Mitte und wieder zurück bewegen. Die Musik steht in der Regel im Zweivierteltakt, die Schrittfolge ist einfach.

90,1 / 90,24 *Erdgöttin Hertha:* germanische Göttin (auch Erda, Jörd, Fjörgyn, Hlödyn), Erdmutter, Fruchtbarkeitsgöttin. Von ihrem Namen stammen etymologisch die Wörter »Erde« und »Herbst« ab.

93,2 / 93,22 *sporadisch:* oberflächlich, gelegentlich.

93,4 f. / 93,24 f. *Zwangsneurosen:* innerer, subjektiver Drang, bestimmte Dinge immer wieder zu tun oder zu denken – gegen die eigene Einsicht der Sinnlosigkeit. Zwangsneurosen gehören zu den Angststörungen.

93,21 / 94,9 *Holocaust:* Metapher für den systematisch betriebenen Massenmord der Nationalsozialisten an den europäischen Juden und an anderen Opfergruppen, wie politisch Oppositionellen, Homosexuellen, Zeugen Jehovas, Sinti und Roma, Polen und Sowjetbürgern. Der Begriff stammt ursprünglich aus der englischen Fassung der Bibel als Übersetzung der griechischen Übersetzung von *ʿola kalil* ›das, was ganz im Rauch aufsteigt‹, die in der englischen Bibelübersetzung beibehalten wurde. Luther übersetzte das Wort mit »Brandopfer«. Seit dem 16. Jh. ist *holocaust* im englischen Wortschatz verbürgt; im engeren Sinn ein Brandopfer, (wörtl.) ›was ganz verbrannt wird‹, im übertragenen Sinn eine vollständige Zerstörung, besonders durch Feuer.

96,4 f. / 96,27 *Princetons:* Princeton: amerikanische Stadt in der Nähe von Trenton, der Hauptstadt des US-Bundesstaates New Jersey, Sitz einer weltweit angesehenen Eliteuniversität.

96,6 f. / 96,29 *Ehrengast:* der renommierte Historiker Saul Friedländer (geb. 1932), der als Professor für Geschichte an der Universität Tel Aviv und an der University of California in Los Angeles lehrt.

97,2 / 97,25 *Riga:* In der lettischen Hauptstadt gab es zwischen 1941 und 1943 ein Ghetto, in dem Tausende Menschen Zwangsarbeit leisten mussten. Innerhalb von vier Tagen (zwischen dem 30. November 1941 und dem 9. Dezember 1941) wurden im nahe gelegenen Wald von Rumbula 25 000–28 000 Menschen aus dem Ghetto getötet.

97,16 / 98,3 *Macbeth:* Tragödie von William Shakespeare (s. Anm. zu 231,13 / 233,10), entstanden um 1606, 1611 erstmals nachweislich aufgeführt. Das Drama behandelt Szenen aus dem Leben des machthungrigen und nach anfänglichen Skrupeln mordlüsternen Schotten Macbeth, der seinen König tötete und selbst den Thron bestieg, auf dem er 17 Jahre verblieb, ehe er in einer Schlacht getötet wurde.

99,8 / 100,3 *deutschen Lagerverwaltung:* vgl. hier S. 109.

99,31 / 100,27 *Dürer:* Albrecht D. (1471–1528), deutscher Maler und Kupferstecher, Schöpfer eines umfassenden und einflussreichen Œuvres, das von Renaissance, Humanismus und Reformation geprägt ist. Zu seinen bedeutendsten Werken gehören die Kupferstiche *Ritter, Tod und Teufel* (1513), *Der heilige Hieronymus im Ge-*

häus (1514) und *Melancolia I* (1514). Aus seinem Spätwerk ragen die beiden Bildtafeln mit überlebensgroßen Darstellungen der *Vier Apostel* (1526) heraus.

100,5 / 100,34 *»Edda«:* Name zweier Werke des altisländischen Schrifttums, wichtige Quelle altnordischer Mythologie und Heldensagen. Die ältere Edda, überliefert durch eine Handschrift des 13. Jh.s, handelt von Göttern, Helden und Gnomen. Die Lieder in Stabreimen stammen aus dem 8. bis 11. Jh. Die jüngere Edda, überliefert in Handschriften des 13. und 14. Jh.s, ist ein um 1225 verfasstes Lehrbuch der Skaldendichtkunst (Skalden waren Barden, Hofdichter). Sie enthält Geschichten aus der skandinavischen Mythologie.

100,8 f. / 101,1 f. *Eichendorffs »Mondnacht«:* Gedicht von Joseph Freiherr von Eichendorff (1788–1856), einem wichtigen Vertreter der Spätromantik: »Es war, als hätt der Himmel / Die Erde still geküßt, / Daß sie im Blütenschimmer / Von ihm nun träumen müßt. // Die Luft ging durch die Felder, / Die Ähren wogten sacht, / Es rauschten leis die Wälder, / So sternklar war die Nacht. // Und meine Seele spannte / Weit ihre Flügel aus, / Flog durch die stillen Lande, / Als flöge sie nach Haus« (Joseph von Eichendorff, *Gedichte*, Stuttgart 1997, S. 83).

100,14 / 101,8 *Leo Baeck:* deutscher Rabbiner und führender Repräsentant des deutschen (liberalen) Judentums, Vorsitzender der Reichsvertretung der deutschen Juden (1873–1956). Er lehnte alle Angebote ab, sich ins Ausland zu retten, wurde 1943 nach Theresienstadt deportiert. 1945 wurde er Präsident der »World Union for Progressive Judaism«. Von 1948 an war er Professor für Religionsgeschichte am Hebrew Union College (Cincinnati, USA). Nach ihm wurden die Leo-Baeck-Institute in New York, London und Jerusalem benannt; außerdem vergibt der deutsche Zentralrat der Juden jährlich den Leo-Baeck-Preis. Zu Baecks wichtigsten

Werken gehören *Das Wesen des Judentums* (1905) und *Dieses Volk* (2 Bde., 1955–57).

101,1 / 101,31 *Schildbürger:* Volksbuch mit Lügengeschichten in Schwankform um die närrisch-weisen Bürger von Schilda aus dem Jahr 1588 (ursprünglich *Lalebuch*, 1587).

101,26 / 102,20 *Bialystock:* Stadt im Osten Polens, heute rund 300 000 Einwohner. In beiden Weltkriegen war die Stadt von den Deutschen besetzt. Von August 1941 bis August 1943 wurde in Bialystock ein Ghetto für 50 000 Juden errichtet. Die meisten Menschen waren in den etwa zehn Fabriken des Ghettos beschäftigt, in dem sie Zwangsarbeit für die deutsche Rüstungsindustrie leisten mussten. Nachdem es im Februar 1943 zu mehreren »Aktionen« der SS gekommen war, in deren Verlauf 2000 Menschen im Ghetto erschossen und 10 000 nach Treblinka deportiert worden waren, kam es zu einem ersten Aufstand im Ghetto, der aber niedergeschlagen wurde. Als das Ghetto, in dem zu diesem Zeitpunkt noch 30 000 Menschen lebten, komplett geräumt werden sollte, formierte sich erneuter Widerstand, der aber wiederum zerschlagen wurde. Die Deportationen wurden danach plangemäß durchgeführt und die Menschen nach Treblinka, Majdanek, Auschwitz und Theresienstadt verschleppt.

101,30 / 102,24 *Kafkas:* Franz Kafka (1883–1924), Schriftsteller. Kafka wurde in Prag geboren und studierte an der dortigen Deutschen Universität zunächst Literatur, dann Jura (Promotion zum Dr. jur. 1906). 15 Jahre lang arbeitete er bei einem Versicherungsunternehmen. 1917 erkrankte Kafka an Tuberkulose und starb fünf Jahre später letztlich an der Krankheit. Kafka hatte eigentlich verfügt, dass seine Manuskripte nach seinem Tod verbrannt werden sollten, doch sein Freund Max Brod (1884–1968) hielt sich nicht an Kafkas Weisung und veröffentlichte das bis dahin weitgehend unpublizierte erzählerische Werk. Die Protagonisten Kafkas finden sich in der im Text entwickelten Welt nicht zurecht und sehen sich Mächten ausgesetzt, die sie weder verstehen noch kontrollieren können (vgl. die großen Romane *Der Proceß*, 1925, *Das Schloss*, 1926, *Amerika*, 1927).

101,30 / 102,25 *Ottla:* eigtl. Ottilie Kafka (1892–1943), Schwester von Franz Kafka.

102,3 f. / 102,32 f. *»Wallensteins Lager« … Friedland:* erster Teil von Friedrich Schillers (s. Anm. zu 11,30 / 13,30) Dramentrilogie um den kaiserlichen Feldherrn im Dreißigjährigen Krieg (1618–48) und Herzog von Friedland, die sich aus *Wallensteins Lager*, *Die Piccolomini* und *Wallensteins Tod* zusammensetzt. In dem »Vorspiel« genannten Teil des »dramatischen Gedichts« (uraufgeführt 1798) entwirft Schiller die Ausgangslage vor dem großen Konflikt, von dem das Wallenstein-Drama ausgeht: Wallensteins Abfall vom Kaiser. In der im Text erwähnten Predigt eines Kapuziners, der dem bedeutenden katholischen Barockprediger Abraham a Santa Clara nachempfunden ist, werden die Sittenlosigkeit des Lagerlebens und Wallenstein als Ursache der Unruhe angeprangert.

103,30 f. / 104,23 *Leitmeritz:* Stadt im Sudetenland, bis 1919 Österreich-Ungarn, 1919–38 Tschechoslowakei, 1938–45 »Reichsgau Sudetenland«, heute Tschechische Republik (Litomerice).

105,2 / 106,10 *Hatikvah:* (hebr.) ›Hoffnung‹; Nationalhymne Israels.

105,13 / 106,22 *Tadeusz Borowski:* polnischer Schriftsteller (1922–51), zunächst Bauarbeiter, studierte dann an der Untergrund-Universität in Warschau. 1943 wurde er verhaftet und nach Auschwitz und zuletzt nach Dachau verschleppt, wo er befreit wurde. 1946 kehrte er nach Warschau zurück und arbeitete als Journalist und Schriftsteller. Direkt nach dem Krieg begann Borowski, seine Erlebnisse in den Lagern in Kurzgeschichten literarisch zu verarbeiten (*Abschied von Maria*, 1947, *Steinerne Welt*, 1948). 1949/50 war er Korrespondent in Berlin. 1951 nahm er sich in Warschau das Leben.

106,3 / 107,11 *autistisch:* Autismus: angeborene oder erworbene Verhaltensstörung, die sich durch krankhafte Ich-Bezogenheit, affektive Teilnahmslosigkeit und Verlust jedweder Beziehung zur Umwelt ausdrückt.

107,24 / 109,3 *hermetisch:* hier: völlig luftdicht.

108,6 / 109,18 *Rampe:* »Haltestelle« des Zuges, bis 1944 außerhalb des Lagers, danach direkt im Lager Birkenau, kurz hinter dem Eingangstor. Ort der ersten, entscheidenden Selektion. An dieser Stelle wurde festgelegt, wer (zunächst) ins Lager aufgenommen und wer sofort in den Gaskammern getötet werden sollte.

109,14 / 110,25 *klaustrophobisch:* an Platzangst leidend.

110,22 / 111,33 *ad acta:* (lat.) zu den Akten.

112,2 / 113,10 *Primo Levi:* italienischer Schriftsteller (1919–89), promovierter Chemiker, wurde im November 1943 nur zwei Monate nach Gründung einer Partisanengruppe verhaftet und in Auschwitz bis zur Befreiung durch die russische Armee inhaftiert. Nach erneuter Internierung in verschiedenen Lagern Weißrusslands und der Ukraine erfolgte erst im Oktober 1945 die endgültige Repatriierung (Rückführung in die Heimat). Gleich nach seiner Heimkehr begann Levi, über das Jahr in Auschwitz im berüchtigten Außenlager Monowitz zu berichten.

»Ist das ein Mensch?«: Erinnerungsbericht des Italieners Primo Levi (s. oben). 1947 wurde der Text unter dem Titel *Se questo è un uomo* in einem kleinen Turiner Verlag erstmals publiziert, zunächst nur wenig beachtet, gilt jedoch heute als einer der wichtigsten Texte der Holocaust-Literatur.

112,4 / 113,12 *Rationalist:* Verstandesmensch.

112,26 / 114,2 *deutsche Romantik:* Literaturepoche von ungefähr 1798 bis 1835. Die Wurzeln der Romantik liegen in der Mystik und im Pietismus. In Deutschland und England wurde sie vorbereitet durch die Gefühlskultur der Empfindsamkeit. Die Romantik kennt die Verherrlichung des genialen Individuums, der »Zuchtlosigkeit« (nicht nur im sittlichen Leben), der angeblichen »Formlosigkeit« in der Dichtung und die Begeisterung für das Mittelalter. Die Romantik war ein gesamteuropäisches Phänomen, ihr Zentrum lag in Deutschland mit Clemens Brentano, Novalis, Ludwig Tieck und E. T. A. Hoffmann (s. Anm. zu 148,11 / 149,11 f.).

115,15 f. / 116,23 *die Achselhöhlen der SS mit Tätowierungen verziert:* Die Blutgruppen-Tätowierung in der linken Achselhöhle sollte verwundeten SS-Angehörigen in den Krankenhäusern vorrangige Behandlung garantieren.

116,2 / 117,8 *Sublimierung:* Ersatz, ins Erhabene gesteigert.

116,7 / 117,14 *Projektion:* Abbildung, Übertragung.

117,12 f. / 118,20 *Sonderkommando:* Die Aufgabe des Sonderkommandos (es waren ausschließlich männliche Häftlinge) bestand in Auschwitz darin, die zum Tod bestimmten Menschen in die Gaskammern zu führen, ihnen ihre Habe zu nehmen und nach der Vergasung die Leichen zu verbrennen. Die Sonderkommandos wurden getrennt von den übrigen Gefangenen untergebracht und besser verpflegt, doch nach einiger Zeit durch die SS »ausgewechselt«, d. h. ebenfalls getötet.

117,20 / 118,29 *Shylock:* Figur aus Shakespeares *Der Kaufmann von Venedig* (vgl. Anm. zu 260,22 / 262,2).

117,33 f. / 119,6 *Krematorien:* Pluralform von *Krematorium*: Ort, an dem Leichen verbrannt werden. In Auschwitz-Birkenau bildeten die Gaskammern und die Krematorien einen Komplex.

118,16 / 119,24 f. *Suppe:* Nahrung der Häftlinge in Auschwitz, deren Nährwert oft gleich null war.

118,18 / 119,26 *Appelle:* hier: Aufstellungen, Antreten der

Häftlinge, das sich auch über Stunden erstrecken konnte – ein häufig angewandtes Foltermittel.

119,9 / 120,18 *didaktische:* die Vermittlung von Lehrstoff, das Lehren und Lernen betreffend.

119,15 / 120,25 *Kristallnacht:* zynische Bezeichnung der Nationalsozialisten für die Pogromnacht (9./10. November 1938), in der in ganz Deutschland jüdische Geschäfte und Synagogen zerstört wurden (»Kristall« für die Glasscherben). Offiziell wurde der Pogrom als »spontaner Volkszorn« ausgegeben, tatsächlich war die Aktion vorher von der NSDAP und der SA präzise geplant worden, nachdem der deutsche Diplomat Ernst vom Rath in Paris von dem 17-jährigen polnischen Juden Hershel Grynszpan erschossen worden war. Im Anschluss an die Pogromnacht wurden etwa 30 000 Juden vorübergehend in Konzentrationslagern interniert (viele davon in Buchenwald) und eine kollektive Sondersteuer in Höhe von über einer Milliarde Reichsmark erhoben, die von den jüdischen Bürgern zu zahlen war.

119,17 / 120,27 *»Arbeit macht frei«:* Schriftzug über dem Eingang des Konzentrationslagers Auschwitz (Stammlager).

119,31 / 121,5 *Vignette:* eigtl. kleine ornamentale Verzierung auf Buchseiten oder an Kapitelanfängen, heute oft für Siegel oder Aufkleber; hier: kleines (literarisches) Erinnerungsbild.

120,30 / 122,4 *D-Day:* Bezeichnung für die Landung der Alliierten in der Normandie am 6. Juni 1944.

121,33 / 123,7 *Ungarn-Transporte:* Die ungarische Regierung ermöglichte den Nationalsozialisten, am 19. März 1944 in Ungarn einzumarschieren. Noch am selben Tag wurde durch die SS in Budapest die Deportation ungarischer Juden vorbereitet und das Land in sechs Zonen aufgeteilt. Bis zum 7. Juni wurden 289 357 Juden aus den Karpaten und dem Siebenbürger Raum und bis zum 10. Juli 1944 insgesamt 437 000 Juden verschleppt. Der

Foto vom Eingangstor des KZs Auschwitz mit dem Schriftzug »Arbeit macht frei«

größte Teil wurde gleich nach Ankunft im Vernichtungslager Auschwitz ermordet, viele kamen auf den Transporten um.

123,2 f. / 124,12 *Schillerschen Balladen:* größtenteils 1797 in Zusammenarbeit mit Goethe für den *Musen-Almanach für das Jahr 1798* entstanden, gehören Schillers Balladen zu seinen populärsten Gedichten. Sie zeichnen sich jeweils durch eine spannende, oft historisch verbürgte Handlung aus, sind von einer effektvoll einfachen Sprache und enthalten Wendungen, die häufig zu geflügelten Worten wurden.

123,4–6 / 124,13–15 *»Schickt zu seinen Mannen allen … Kreuz«:* zwei Verse aus Schillers Ballade *Ritter Toggenburg* (entstanden 1797) über den Kreuzzügler Ritter Toggenburg, der sich nur schweren Herzens von seiner Geliebten losreißen kann, um in den heiligen Kampf zu ziehen. Liebeskrank kehrt er nach einem Jahr zurück, doch wurde einen Tag zuvor seine Geliebte als Nonne in ein Kloster aufgenommen. Fortan lebt der Ritter bis zu seinem Tod in der Nähe des Klosters – um wenigstens einmal pro Tag seine Geliebte am Fenster des Klosters sehen zu können.

123,11 f. / 124,21 *»Die Kraniche des Ibykus«:* Ballade Schillers (entstanden 1797). Ibykus, Dichter und »Götterfreund«, zieht nach Korinth, wo er an einem Sängerwettbewerb teilnehmen will. Unterwegs wird er überfallen und getötet. Einzige Zeugen sind vorbeiziehende Kraniche, denen Ibykus im Sterben die Pflicht auferlegt, von der Tat Zeugnis abzulegen. Während des Sängerfestes werden die Mörder entlarvt: Ein geheimnisvoller Chor tritt auf und singt sein Lied »von Schuld und Fehle«. Nach diesem Auftritt ziehen über das Gelände erneut Kraniche. Unter dem Eindruck des soeben Gehörten und Ibykus letzten Worten ruft einer der Mörder, die unter den Zuschauern weilen, entsetzt aus: »Die Kraniche des Ibykus!« Man erkennt, dass nur die Mörder zwischen den Kranichen und dem Verbrechen einen Zusammenhang sehen können, verhaftet und verurteilt sie schließlich.

123,19 f. / 124,29 f. *»Nur ewigen und ernsten Dingen / Sei ihr metallner Mund geweiht«:* aus Schillers *Das Lied von der Glocke* (1799), das als bürgerliche Antwort auf die Französische Revolution gedacht war. Hohe, allgemein gültige Ideen werden mit handwerklichen Arbeiten des täglichen Lebens verbunden. So entfaltet sich ein umfangreicher Szenenbogen, unter dem viele kleine, in sich abgeschlossene Episoden und philosophische Gedanken zu einem neuen Ganzen verschmolzen werden – ganz so, wie die Glocke im Verlauf des Liedes gegossen wird und dem Gedicht seinen äußeren Rahmen gibt.

124,2 / 125,11 *»Moorsoldaten«:* Titel eines Liedes, das von den Häftlingen Wolfgang Langhoff (1901–66) und Johann Esser (1896–1971) 1935 im KZ Börgermoor getextet und von ihrem Mitgefangenen Rudi Goguel (1908–1976) vertont wurde. Später wurde das Lied aus dem KZ geschmuggelt. Besonders die Wendung in der letzten Strophe machte das Lied weltbekannt: »Wohin auch das Auge blicket, / Moor und Heide nur ringsum. / Vogelsang uns nicht erquicket, / Eichen stehen kahl und krumm. / Wir sind die Moorsoldaten / Und ziehen mit dem Spaten / Ins Moor ... / Wir sind die Moorsoldaten / Und ziehen mit dem Spaten / Ins Moor ... // [...] Doch für uns gibt es kein Klagen, / Ewig kann's nicht Winter sein, / Einmal werden froh wir sagen: / Heimat, du bist wieder *mein*! / Dann ziehn die Moorsoldaten / *Nicht* mehr mit dem Spaten / Ins Moor! / Dann ziehn die Moorsoldaten / *Nicht* mehr mit dem Spaten / Ins Moor!« (Wolfgang Langhoff, *Die Moorsoldaten*, Berlin 1960, S. 177 f., 180.)

126,1 / 127,7 *Goldschnittlyrik:* nach dem Grimmschen Wörterbuch literaturkritischer Terminus für die Epigonendichtung des 19. Jh.s, offenbar im Kreis des so genannten »Jungen Deutschland« entstanden (vgl. *Deutsches Wörterbuch* von Jacob und Wilhelm Grimm, Bd. 8, München 1999, S. 843).

126,6 / 127,12 *Adorno:* Theodor Wiesengrund A. (1903–1969), deutsch-jüdischer Philosoph, Soziologe und Musiktheoretiker. Adorno gilt zusammen mit Max Horkheimer (1895–1973) und Herbert Marcuse (1898–1979) als Begründer der »Frankfurter Schule«, eines einflussreichen Kreises von Soziologen und Philosophen. Im Zentrum der von der Frankfurter Schule entworfenen »Kritischen Theorie« steht die radikale Kritik des kapitalistischen Wirtschaftssystems. Adorno setzte sich in seinem Werk nach 1945 immer wieder auch mit der Frage nach den Konsequenzen des Holocaust auseinander (vgl. Anm. zu 36,15 / 38,3 f.).

126,26 / 127,34 *Celan:* Paul C., eigtl. Paul Antschel (1920–

1970), Lyriker und Schriftsteller. Celan wurde als Sohn deutschsprachiger Juden in Cernowitz (damals Rumänien, heute Ukraine) geboren. Seine Familie wurde von den Nazis verschleppt und ermordet, er konnte aus einem Arbeitslager fliehen, beendete nach dem Krieg sein Studium in Paris und war dann als Sprachlehrer und Übersetzer tätig. Celan, einer der wichtigsten deutschsprachigen Lyriker, nahm sich 1970 das Leben.

127,4 / 128,10 *»Todesfuge«:* Gedicht Paul Celans (1952); wahrscheinlich das am meisten zitierte und abgedruckte Gedicht über den Holocaust und deshalb von Celan nicht mehr zum Abdruck freigegeben. Die letzte Strophe lautet: »Schwarze Milch der Frühe wir trinken dich nachts / wir trinken dich mittags der Tod ist ein Meister aus Deutschland / wir trinken dich abends und morgens wir trinken und trinken / der Tod ist ein Meister aus Deutschland sein Auge ist blau / er trifft dich mit bleierner Kugel er trifft dich genau / ein Mann wohnt im Haus dein goldenes Haar Margarete / er hetzt seine Rüden auf uns er schenkt uns ein Grab in der Luft / er spielt mit den Schlangen und träumet der Tod ist ein Meister aus Deutschland // dein goldenes Haar Margarete / dein aschenes Haar Sulamith« (Paul Celan, *Mohn und Gedächtnis*, Stuttgart: Deutsche Verlags-Anstalt, [3]1958. S. 38 f. – © 1952 Deutsche Verlags-Anstalt GmbH, Stuttgart).

127,20 / 128,25 *Selektion:* Bezeichnung für die »Begutachtung« der KZ-Häftlinge durch die SS, ob ein Häftling arbeitsfähig war und damit im Lager verblieb oder getötet werden sollte. Selektionen wurden nicht nur bei den ankommenden Transporten, sondern auch laufend im Lager durchgeführt und waren somit eine ständige Bedrohung.

128,7 / 129,12 *Bruno Bettelheim:* amerikanischer Psychoanalytiker österreichischer Herkunft (1903–90). Bettelheim, der nach der Besetzung Österreichs verhaftet und in die Konzentrationslager Dachau und Buchenwald verschleppt wurde, emigrierte 1939 in die USA und lehrte insbesondere an der Universität von Chicago Pädagogische Psychologie (bis 1973). 1943 erlangte Bettelheim mit seinem Aufsatz *Individual and Mass Behavior in Extreme Situations* (dt. *Individuelles und Massenverhalten in Extremsituationen*) internationale Aufmerksamkeit. In der Studie untersuchte er als einer der ersten auf der Grundlage seiner eigenen Erfahrungen in Konzentrationslagern die Auswirkungen übermäßiger Belastungen auf die Persönlichkeit.

128,12 / 129,16 *Paranoia:* Verfolgungswahn.

128,24 / 129,30 *latent:* vorhanden, aber nicht sichtbar oder nicht wirksam.

129,8 / 130,12 *Kafkas Türhüter:* Parabel von Franz Kafka (s. Anm. zu 101,30 / 102,24), Teil seines Romans *Der Proceß* (1925): »Vor dem Gesetz steht ein Türhüter. Zu diesem Türhüter kommt ein Mann vom Lande und bittet um Eintritt in das Gesetz. Aber der Türhüter sagt, daß er ihm jetzt den Eintritt nicht gewähren könne.« Bis zu seinem Tode zögert der Mann einzutreten. Kurz vor seinem Ende spricht er den Türhüter an: »›Alle streben doch nach dem Gesetz‹, sagt der Mann, ›wie so kommt es, daß in den vielen Jahren niemand außer mir Einlaß verlangt hat?‹ Der Türhüter erkennt, daß der Mann schon am Ende ist und um sein vergehendes Gehör noch zu erreichen brüllt er ihn an: – ›Hier konnte niemand sonst Einlaß erhalten, denn dieser Eingang war nur für Dich bestimmt. Ich gehe jetzt und schließe ihn.‹« (Franz Kafka, *Der Proceß*, Stuttgart 1990, S. 197 f.)

130,16 / 131,20 *Kordon:* Kette (hier: aus SS-Männern), die eine Zone absperrt.

131,14 / 132,17 *Kopernikus' Zeit:* Nikolaus Kopernikus (1473–1543), polnischer Astronom, der das heliozentrische Weltsystem begründete, nach dem sich die Sonne nahe dem Mittelpunkt unserer Galaxis in Ruhe befindet, während sich die Erde einmal am Tag präzessierend (wie ein Kreisel schwankend) um ihre eigene Achse dreht und jährlich einmal um die Sonne kreist.

132,3 / 133,5 *Eichmann:* Adolf E. (1906–62), SS-Kriegsverbrecher, war nach der Wannsee-Konferenz 1942 – an der er selbst teilnahm – im Reichssicherheitshauptamt als Organisator für die Deportation der Juden in die Vernichtungslager verantwortlich. Bei Kriegsende tauchte er zunächst unter, doch 1960 spürte ihn der israelische Geheimdienst Mossad in Argentinien auf und entführte ihn nach Israel, wo er vor Gericht gestellt, am 15. Dezember 1961 wegen Kriegsverbrechen und Verbrechen gegen das jüdische Volk zum Tode verurteilt und am 1. Juni 1962 hingerichtet wurde.

132,6 f. / 133,9 *Hannah Arendt:* amerikanische Philosophin und Politikwissenschaftlerin deutscher Herkunft (1906–75). Arendt wurde in Heidelberg im Alter von 22 Jahren von Martin Heidegger (1889–1976) promoviert; sie ging 1933 von Deutschland zunächst nach Frankreich, ehe sie 1940 in die USA emigrierte. Dort arbeitete sie als Redakteurin für verschiedene Zeitschriften, bevor sie – nach dem großen Erfolg ihres Werkes *Elemente und Ursprünge totaler Herrschaft* (1951) – an mehreren amerikanischen Universitäten lehrte. Weltweiten Erfolg hatte sie auch mit ihrem 1963 publizierten Band *Eichmann in Jerusalem. Ein Bericht von der Banalität des Bösen*. Arendt war als Reporterin der Wochenschrift *The New Yorker* in Jerusalem beim Eichmann-Prozess und entwarf ausgehend von ihren Reportagen ein Charakterbild Eichmanns, das mit bis dahin üblichen Klischees über die nationalsozialistischen Massenmörder aufräumte: Nicht sadistische Monster waren die Organisatoren des Völkermordes, sondern beunruhigend ›normale‹ Bürokraten.

132,9 / 133,12 *Borniertheit:* stures Beharren auf den eigenen Ideen.

132,34 / 133,37–134,1 *Untermenschentum:* Als »Untermensch« wurden im nationalsozialistischen Sprachgebrauch all jene bezeichnet, die »rassisch« und moralisch als minderwertig deklariert wurden, etwa Juden, Polen, Russen und Kommunisten (vgl. Schmitz-Berning, S. 618 ff.).

133,3 / 134,4 *Meister aus Deutschland:* Anspielung auf Celans *Todesfuge* (vgl. Anm. zu 127,4 / 128,10).

133,22 / 134,23 *Dr. Mengele:* Dr. Josef M. (1911–79), Mediziner und SS-Kriegsverbrecher, war ab 1943 u. a. Chefarzt im Frauenlager in Auschwitz-Birkenau, führte dort viele grausame Experimente besonders an Säuglingen, Zwillingen und Kleinwüchsigen durch (fast alle seine Opfer starben) und leitete häufig die Selektionen bzw. entschied, wer sofort getötet werden sollte. Nach dem Krieg konnte er sich nach Südamerika absetzen und starb dort vermutlich 1979.

133,31 / 134,32 *altruistisch:* selbstlos, uneigennützig.

134,5 / 135,3 *Endsieg:* Begriff aus der Kriegspropaganda, der nahe legen sollte, dass auch angesichts heftiger Niederlagen und Rückschläge letztendlich der Krieg mit einem Sieg beendet werden würde. Der Begriff *Endsieg* ist schon aus dem Ersten Weltkrieg bekannt, doch war er als Schlagwort damals bei weitem nicht so präsent wie später im nationalsozialistischen Propagandawortschatz (vgl. Schmitz-Berning, S. 176 ff.).

134,6 / 135,5 *Endlösung:* bezeichnet im Sprachgebrauch der Nationalsozialisten deren Vorhaben, die so genannte »Judenfrage« durch die Ermordung aller europäischen Juden zu »lösen«. Eine Reihe von Vorbereitungsmaßnahmen für den systematischen Massenmord wurden in der so genannten »Wannseekonferenz« vom 20. Januar 1942 gebündelt, an der führende Vertreter mehrerer Ministerien unter Vorsitz von Reinhard Heydrich (1904–1942; Chef des Reichssicherheitshauptamtes) teilnahmen, um das endgültige Vorgehen zu konkretisieren. Elf

Millionen Juden wurden auf dieser Konferenz zur Vernichtung bestimmt (vgl. Schmitz-Berning, S. 174 f.).

134,22 / 135,21 *bekrittelt:* kritisiert.

134,32 / 135,32 *Amöben:* Einzeller.

136,26 / 137,25 *rote Dreiecke:* Aufgenähte Dreiecke, »Winkel« genannt, bezeichneten in den Konzentrationslagern die Häftlingskategorien. Roter Winkel: politische Häftlinge, gegen die eine so genannte »Schutzhaft« verhängt worden war, auch katholische Geistliche (vor allem polnische Priester, die im Rahmen der Terrormaßnahmen gegen die polnische Intelligenz inhaftiert wurden); grüner Winkel: »Kriminelle« (Häftlinge, die als »Berufsverbrecher« »vorbeugend« nach Auschwitz deportiert worden waren, oder so genannte »Sicherungsverwahrte«, also Häftlinge, die ihre Haftstrafe statt im Gefängnis im Konzentrationslager zu verbüßen hatten); schwarzer Winkel: so genannte »Asoziale« (im Lager wurden Prostituierte, aber auch »Zigeuner« als »asozial« bezeichnet); violetter Winkel: so genannte »Bibelforscher« (Zeugen Jehovas); rosa Winkel: als Homosexuelle Verdächtigte; Davidstern: Juden (der Davidstern setzte sich aus einem gelben Dreieck, als Erkennungszeichen für das Judentum, und einem Winkel der anderen oben aufgeführten Häftlingskategorien in anderer Farbe zusammen).

137,18 / 138,17 *Überich:* in der Psychoanalyse neben dem Es und dem Ich die dritte zur Persönlichkeit gehörende Instanz. Nach Sigmund Freud (s. Anm. zu 20,8 / 22,3) ist das Überich dafür verantwortlich, jene Es-Impulse und Triebe zu binden, die zu (sozial) unerwünschten Handlungen oder Gedanken führen können. Das Überich ist somit der »Sitz« des moralischen Gewissens und der Selbstanalyse. Eine weitere wichtige Funktion des Überichs ist die Bildung eines so genannten »Ich-Ideals«. Die psychoanalytische Theorie vermutet, dass sich das Überich entwickelt, indem das Kind die Werte und Normen der Eltern und seiner Umgebung übernimmt.

137,31 / 138,32 *Pritsche:* schmales Bett oder Liege.
139,15 / 140,16 *»escape-story«:* (engl.) Fluchtgeschichte.
139,21 f. / 140,23 *Anna Seghers' »Das siebte Kreuz«:* Roman von A. S. (eigtl. Netty Reiling, 1900–83) aus dem Jahr 1942 (Teilabdruck aber bereits 1939 in der sowjetischen Zeitschrift *Internationale Literatur*) über die Flucht von sieben Gefangenen aus dem (fiktiven) KZ Westhofen am Rhein. Um die anderen Lagerinsassen abzuschrecken, lässt der Lagerkommandant sieben Kreuze auf dem so genannten »Tanzplatz« des Lagers errichten, um wieder eingefangene Flüchtlinge dort auszustellen. Nur Georg Heisler, dem Siebten, gelingt die Flucht ins Ausland und damit die endgültige Rettung. Das siebte Kreuz bleibt somit leer und wird im Roman zu einem Symbol der Hoffnung. Seghers wurde häufig vorgeworfen, ihre Sicht sei viel zu optimistisch (dies besonders im Hinblick auf die zahlreichen Helfer, die Heisler bei seiner Flucht hatte), sie habe im Exil in Mexiko die Lage im »Dritten Reich« und die Stimmung der Bevölkerung falsch eingeschätzt.
141,18 / 142,19 *»artfremd«:* bewusste und provokative Aufnahme eines Propagandabegriffs der Nazis für »im Widerspruch zum Wesen der eigenen Rasse stehend« (vgl. Schmitz-Berning, S. 67).
142,12 / 143,13 *schnoddrige:* (umgangsspr.) vorlaute, angeberische.
142,28 / 143,31 *Fehlleistungen:* in der Psychoanalyse (falsche) Äußerungen (oder Handlungen), in denen unbewusste Wünsche, Verdrängtes o. Ä. zum Ausdruck kommen.
143,20 / 144,23 *avanciert:* aufgestiegen.
144,6 / 145,7 *Inkongruenz:* Ungleichheit, Nichtübereinstimmung.
144,10 / 145,11 *Oberschlesien:* Landschaft im östlichen Mitteleuropa, Teil Schlesiens. Oberschlesien war seit dem Mittelalter nacheinander unter polnischer, böhmi-

scher, habsburgischer und preußischer Verwaltung. Gemäß des Versailler Vertrags fiel der Osten Oberschlesiens 1919 an Polen. Nach dem Überfall der deutschen Wehrmacht 1939 wurden die polnischen Teile Oberschlesiens an das Deutsche Reich angegliedert; nach dem Ende des Zweiten Weltkriegs ging Schlesien östlich der Lausitzer Neiße wieder an Polen.

144,21 / 145,24 *Christoph:* Pseudonym für den deutschen Schriftsteller Martin Walser (geb. 1927), das von Ruth Klüger einige Zeit nach dem Erscheinen ihres Buches gelüftet wurde (vgl. hier S. 157–163 den offenen Brief Klügers an Walser, den sie im Zuge der Auseinandersetzungen um Walsers Roman *Tod eines Kritikers* von 2002 an ihn richtete).

145,2 / 146,2 *Niederschlesien:* Landschaft im östlichen Mitteleuropa, Teil Schlesiens (s. Anm. zu 144,10 / 145,11).

146,15 / 147,15 *Ilse Koch:* Aufseherin in Buchenwald (1906–67), verheiratet mit Karl Koch (1897–1945), Kommandant des KZs Sachsenhausen und ab 1937 des KZs Buchenwald (bis 1941). Sie misshandelte regelmäßig Häftlinge und ließ sie töten. Koch wurde nach dem Krieg zunächst zu lebenslanger Haft verurteilt, verbüßte aber nur vier Jahre der Haftzeit. Nach ihrer erneuten Inhaftierung brachte sie sich im Gefängnis um.

146,21 f. / 147,22 *Protektionskinder:* hier: bevorzugte Häftlinge.

147,27 / 148,28 f. *Worte … im Munde faulen:* Anspielung auf den Chandos-Brief Hugo von Hofmannsthals (vgl. Anm. zu 279,20 / 279,16): Lord Chandos beklagt dort, ihm sei die Fähigkeit abhanden gekommen, »über irgend etwas zusammenhängend zu denken und zu sprechen«. Die abstrakten Worte, deren er sich bedienen müsse, »um irgend welches Urteil an den Tag zu geben, zerfielen mir im Munde wie modrige Pilze« (Hugo von Hofmannsthal, *Der Brief des Lord Chandos*, Stuttgart 2000, S. 50 f.).

148,4 / 149,3 *Bismarck:* Otto Eduard Leopold Graf von B. (1815–98), ab 1871 Fürst von Bismarck, preußisch-deutscher Politiker und erster Kanzler des Deutschen Reichs (1871–90). 1862 wurde Bismarck zum preußischen Ministerpräsidenten berufen: Gegen Verfassung und Parlament baute er in der Folge das preußische Heer aus. 1870 provozierte er eine Kriegserklärung Frankreichs. Dieser Konflikt führte schließlich zur Proklamation von Wilhelm I. zum deutschen Kaiser und zur Gründung des Deutschen Reichs am 18. Januar 1871. Bismarck wurde Reichskanzler und koordinierte fortan die Innen- und Außenpolitik. Seine Außenpolitik galt der Einbindung des Reiches in ein ausgeklügeltes Bündnissystem. Seine Innenpolitik blieb bestimmt von der Sozialgesetzgebung (u. a. Unfall-, Renten- und Krankenversicherung) bei gleichzeitiger harter Bekämpfung der Sozialdemokratie (Sozialistengesetze). Bismarck wurde 1890 von Kaiser Wilhelm II. wegen unüberbrückbarer politischer und persönlicher Differenzen entlassen.
Nietzsche: Friedrich Wilhelm N. (1844–1900), deutscher Philosoph und Altphilologe, mit seiner »Lebensphilosophie« einer der einflussreichsten Denker für das 20. Jh. In seiner Philosophie proklamierte Nietzsche die »Umwertung aller Werte«, die bis dahin von der »Sklavenmoral« des Christentums geprägt gewesen seien. Nietzsche forderte ein neues Wertesystem, das die Zwischenphase, den Nihilismus (eine radikale, alle positiven Werte verneinende Philosophie), überwinden sollte. In engem Zusammenhang hiermit steht Nietzsches Entwurf eines selbständigen, lustorientierten »Herrenmenschen«, der seine Sittengesetze selbst setzt. Aufgrund seiner Begrifflichkeit wurde Nietzsches Philosophie im Nationalsozialismus missbräuchlich aufgegriffen.

148,5 / 149,4 *Luther:* Martin L. (1483–1546), deutscher Theologe und Reformator. 1517 veröffentlichte Luther seine 95 Thesen, die vor allem den Ablasshandel der

Kirche (die Praxis, dass Gläubige sich von ihren Sünden gegen Geld freikaufen konnten) kritisierten. Später bezeichnete er das Papsttum als rein menschliche Institution und lehnte die Unfehlbarkeit des Papstes ab. 1520 wurde er aus der Kirche ausgestoßen und die Reichsacht über ihn verhängt. Luthers Wirken war der Auslöser für die Reformation – protestantische (reformierte) und katholische Kirche trennten sich. Der Kurfürst von Sachsen, Friedrich der Weise (1463–1525), ließ ihn schließlich zu seinem eigenen Schutz auf die Wartburg entführen, wo Luther das Neue Testament ins Deutsche übersetzte (später auch das Alte Testament). Luther wandte sich in seinen Schriften immer wieder gegen die »Feinde Christi« und in diesem Zusammenhang besonders gegen die Juden. Dies lässt ihn für manche zu einem Urvater des modernen Antisemitismus werden.

148,11 / 149,11 *Calvin:* Johannes C., eigtl. Jean Cauvin, französischer Theologe. Calvin wurde in Noyon geboren und entwickelte sich nach seinem Studium zu einem der wichtigsten Vertreter der Reformationsbewegung. Er wirkte insbesondere in Genf, wo er eine neue Kirchenordnung entwarf, die der Rat in nur leicht geänderter Fassung als städtische Verfassung annahm. Calvin war nicht nur theologisch engagiert: Er trug auf unterschiedliche Weise dazu bei, dass sich die Lebensumstände seiner Mitbürger erheblich verbesserten. Darüber hinaus verfasste Calvin einen bedeutenden Katechismus (christliches Lehrbuch in Frage- und Antwortform). Er entwickelte auch eine politische Ethik, in deren Mittelpunkt ein leistungsorientiertes Engagement steht, mit dessen Hilfe versucht werden soll, Sünden mit gottgefälligen Taten zu sühnen. Aus dieser Lehre entwickelte sich in Großbritannien und in den Vereinigten Staaten die religiöse Bewegung des Puritanismus, die das Leistungsdenken in der westlichen Welt prägt.

148,11 f. / 149,11 f. *Hoffmanns Erzählungen:* E(rnst).

T(heodor). A(madeus). Hoffmann, eigtl. Ernst Theodor Wilhelm Hoffmann (1776–1822), Schriftsteller und Komponist. Hoffmann trat nach dem Jurastudium eine Assessorstelle an, ehe er als Regierungsrat im damals zu Preußen gehörenden Warschau tätig war. In seine Zeit als Kapellmeister am Bamberger Theater (1808–13) fiel auch der Beginn seiner schriftstellerischen Laufbahn (*Ritter Gluck*, 1809). 1814 wechselte Hoffmann nach Berlin ans dortige Kammergericht. Seine gespenstisch-skurillen Geschichten eröffneten dem romantischen Kunstmärchen und der phantastischen Novelle neue Dimensionen.

149,15 f. / 150,17 *Ostjüdinnen:* Mit »Ostjudentum« sind meist jüdische Gemeinden in Polen und Russland gemeint. Mit dem Holocaust wurde das östliche Judentum nahezu vollständig ausgelöscht.

149,16 / 150,17 *jiddisch:* wichtigste Volkssprache der in West- und Osteuropa beheimateten aschkenasischen Juden. Jiddisch wird mit hebräischen Schriftzeichen geschrieben, wobei einige Zeichen anders als im Hebräischen verwendet werden. Die Sprache entstand zwischen dem 9. und 12. Jh. im Südwesten Deutschlands und stellte eine Anpassung der mittelhochdeutschen Dialekte an die Erfordernisse des jüdischen Lebens dar. Der ursprüngliche Wortschatz des Jiddischen bestand zu 85 % aus deutschen, 10 % hebräischen und rund 5 % slawischen Teilen. Nach der stärkeren Besiedlung des europäischen Ostens weitete sich der slawische Anteil aus.

149,22 / 150,24 *Garnituren:* komplette Sätze Kleidung.

150,22 / 151,24 *Marx:* Karl M. (1818–83), deutscher Philosoph und Nationalökonom, studierte zunächst Jura in Bonn, später auch Philosophie und Geschichte in Berlin und Jena. Er wurde mit Friedrich Engels (1820–95) zum Begründer des sich wissenschaftlich verstehenden Sozialismus (Marxismus). 1843 siedelte er nach Paris über, wurde aber auf Druck der preußischen Regierung ausgewiesen und gelangte über Umwege nach London. Bereits 1848 hatte er – gemeinsam mit seinem Mitstreiter Friedrich Engels – für den dort ansässigen Bund der Kommunisten das *Kommunistische Manifest* herausgegeben, das eine radikale Kritik der bürgerlichen Ökonomie und Gesellschaft darstellte und zum Klassenkampf des internationalen Proletariats aufrief, der schließlich in Diktatur des Proletariats münden sollte. 1859 erschien seine *Kritik der politischen Ökonomie*, 1867 der erste Band seines Monumentalwerks *Das Kapital* (die beiden folgenden Bände erschienen postum in der Bearbeitung von Engels).

150,31 / 151,33 *Lethargie:* Trägheit, Teilnahmslosigkeit.

151,32 / 152,34 f. *»Plus de travail, les filles«:* (frz.) hier: »keine Arbeit mehr, Mädels«.

153,11 / 154,12 *»Bet und arbeit ruft die Welt«:* Bundeslied für den Allgemeinen Deutschen Arbeiterverein (1863), Text von Georg Herwegh (1817–75), Vertonungen u. a. von Hans von Bülow (1830–94), gilt als erste Hymne des deutschen Proletariats: »›Bet' und arbeit'!‹ ruft die Welt, / bete kurz! denn Zeit ist Geld. / An die Thüre pocht die Not – / bete kurz! denn Zeit ist Brot. // Und Du ackerst, und Du säst, / und Du nietest und Du nähst, / und Du hämmerst und Du spinnst – / sag, o Volk, was Du gewinnst! // […] Brecht das Doppeljoch entzwei! / Brecht die Not der Sklaverei! / Brecht die Sklaverei der Not! / Brot ist Freiheit, Freiheit Brot!« (Reinhard Dithmar, *Arbeiterlieder 1844 bis 1945*, München 1993, S. 62 f.).

154,6 / 155,7 *Gaudium:* (lat.) Freude, Spaß.

154,20 / 155,22 *St. Louis:* Stadt in Missouri (USA).

158,5 / 159,3 *Kleist:* Heinrich von K. (1777–1811), deutscher Dichter, gab 1799 seinen Beruf als Soldat auf und begann ein Studium der Musik, Philosophie, Mathematik und Staatswissenschaften, das er allerdings ebenfalls nach nur kurzer Zeit abbrach. Nach einer Begegnung mit Christoph Martin Wieland (1733–1813) im Winter 1802/03, die ihm viele literarische Anregungen brachte, schuf Kleist in rascher Folge bedeutende Dramen, die harte Kritik erfuhren (so etwa *Der zerbrochne Krug*, 1807). In seinen Dresdner Jahren (1807–09) war Kleist literarisch äußerst produktiv, u. a. *Das Käthchen von Heilbronn* (s. Anm. zu 258,26 / 260,10) und *Penthesilea*. Seine Werke kreisen häufig um die an der eigenen Person erfahrenen Konflikte zwischen einer komplexen Persönlichkeit und der (oft von widrigen Schicksalsmächten gelenkten) Welt. Er selbst hielt diesen Konflikt – auch und gerade wegen der anhaltenden Missachtung seiner literarischen Werke – nicht aus und nahm sich am 21. November 1811 am Berliner Wannsee zusammen mit seiner Freundin Henriette Vogel das Leben.

158,32 f. / 159,32 *Wolf Biermann:* deutscher Liedermacher und Schriftsteller (geb. 1936), Sohn eines kommunistischen Widerstandskämpfers. Sein Vater wurde in Auschwitz ermordet. Biermann übersiedelte 1953 in die DDR und studierte in Ostberlin Mathematik, Philosophie und politische Ökonomie. Anfang der 1960er-Jahre begann er, kritische Gedichte und Lieder zu machen. 1965 erhielt Biermann wegen seines Gedichtbandes *Die Drahtharfe* Auftrittsverbot; fortan musste er in der BRD veröffentlichen (u. a. die Langspielplatte *Chausseestr. 131*). 1976 wurde Biermann während einer genehmigten Tournee durch die BRD von der DDR-Führung ausgebürgert. Es folgten viele öffentliche Proteste und Solidarisierungen, die von offizieller Seite mit Ausbürgerungen und Repressalien beantwortet wurden. 1991 erhielt Biermann den Georg-Büchner-Preis.

160,6 / 161,2 *»Osterspaziergang« aus dem »Faust«:* aus Goethes *Faust I* (2. Szene, »Vor dem Tor«), einem der Kernstücke des klassischen Bildungskanons: »Vom Eise befreit sind Strom und Bäche / Durch des Frühlings holden, belebenden Blick; / Im Tale grünet Hoffnungs-Glück; / Der alte Winter, in seiner Schwäche, / Zog sich in raue Berge zurück. / Von dorther sendet er, fliehend, nur / Ohnmächtige Schauer körnigen Eises / In Streifen über die grünende Flur; / [...] Aus dem hohlen finstern Tor / Dringt ein buntes Gewimmel hervor. / Jeder sonnt sich heute so gern. / Sie feiern die Auferstehung des Herrn, / Denn sie sind selber auferstanden, / Aus niedriger Häuser dumpfen Gemächern, / Aus Handwerks- und Gewerbes-Banden, / Aus dem Druck von Giebeln und Dächern, / Aus der Straßen quetschender Enge, / Aus der Kirchen ehrwürdiger Nacht / Sind sie alle ans Licht gebracht.« (J. W. Goethe, *Faust. Der Tragödie Erster Teil*, Stuttgart 2000, S. 27 f.)

160,27 / 161,24 *»Der Kampf mit dem Drachen«:* Ballade von Friedrich Schiller (1798), in deren Mittelpunkt ein Ordensritter steht, der in einem heldenhaften Kampf einen Drachen tötet. Zwar wird er vom Volk für diese Tat gefeiert, aber nicht von seinem Herrn: Der hatte nämlich verboten, dass sich einer seiner Ritter im Kampf mit dem Drachen misst. Aufgrund seines Ungehorsams wird der Ritter aus dem Orden ausgestoßen. Er akzeptiert die Strafe in Demut und wird zur Belohnung wieder aufgenommen: »Dir ist der härtre Kampf gelungen. / Nimm dieses Kreuz: es ist der Lohn / Der Demut, die sich selbst bezwungen.« (Fr. Schiller, *Epigramme, Xenien, Balladen und Romanzen, Lieder*, München 1965, S. 160.)

161,12 / 162,8 *Roosevelt:* Franklin Delano R. (1882–1945), 32. Präsident der Vereinigten Staaten von Amerika (1933–45); studierte Jura an der Harvard-Universität, 1928 wurde er, der seit 1924 an Kinderlähmung litt, Gouverneur von New York. Zusammen mit einer Gruppe von Professoren der Columbia Universität (»Brain Trust«) entwarf er ein Programm, um der Weltwirtschaftskrise zu begegnen. 1933 wurde Roosevelt Präsident: Sein Programm für die wirtschaftliche und soziale

Konsolidierung (»New Deal«) war trotz erheblicher Widerstände weitgehend erfolgreich. 1936, 1940 und 1944 wurde er wiedergewählt. Ab 1940 konnte sich Roosevelt gegen seine Gegner durchsetzen, die die USA strikt aus dem militärischen Konflikt in Europa heraushalten wollten. Der Angriff Japans auf Pearl Harbor (7. Dezember 1941) provozierte schließlich den Kriegseintritt der USA als Alliierter Großbritanniens und der Sowjetunion. Roosevelt starb kurz vor Kriegsende am 12. April 1945.

163,19 f. / 164,21 *armen Hascherl:* (bayr., umgangssprachl.) armes Kerlchen.

164,20 / 165,21 *Todesmärsche:* Bezeichnung der Häftlingssprache für erzwungene Märsche bewachter Gefangenenkolonnen unter schlechten Bedingungen, später von Historikern übernommen. Eine große Zahl von Häftlingen wurde auf den Todesmärschen durch die SS getötet, weil sie nicht mehr in der Lage waren, weiter zu marschieren. Besonders in der Endphase des Krieges kam es gehäuft zu Todesmärschen, weil die Konzentrationslager im Osten wegen der näher rückenden Front von der SS geräumt und die Gefangenen in westlicher gelegene KZs gebracht wurden.

167,28 / 168,29 *Apokoinu:* rhetorische Figur, bei der sich ein Satzteil (Objekt, Prädikat) oder Wort zugleich auf den vorhergehenden und den folgenden Satzteil bezieht. Beispiel: »Ich sage Dir das *ausdrücklich* sag ich Dir das!«

169,21 / 171,23 *Adrenalin:* Hormon, das im Mark der Nebenniere gebildet wird. Normalerweise sind nur geringe Mengen davon im Blut enthalten, doch bei Gefahr, Aufregung usw. wird es in größeren Mengen produziert und versetzt den Körper in die Lage, erheblich höhere Anstrengungen als gewohnt zu bewältigen bzw. das eigene Leistungsniveau deutlich zu steigern.

171,10 / 173,11 *Cleveland:* amerikanische Stadt und Regierungssitz des Bezirks Cuyahoga, im nordöstlichen Ohio, an der Mündung des Flusses Cuyahoga.

173,31 / 175,30 *Pflichtjahr:* 1938 führte das »Dritte Reich« zwischen dem Ende der Schulzeit und dem Eintritt in die Lehre oder in das Berufsleben für alle Frauen unter 25 Jahren das so genannte *Pflichtjahr* ein. Es musste in den Bereichen Land- und Hauswirtschaft absolviert werden. Im Arbeitsbuch, das jede Arbeitnehmerin besaß, musste das Pflichtjahr mittels einer Bescheinigung dokumentiert werden. Es sollte die jungen Frauen auf ihre künftige Rolle als Hausfrau und Mutter vorbereiten. Gleichzeitig diente es zur Entlastung in Haushalten, in denen aufgrund des Krieges Arbeitskräfte fehlten (besonders in der Landwirtschaft).

176,29 f. / 178,29 *Wendendorf:* im Mittelalter *Wenden* für Slawen. 1147 unterwarfen sächsische Fürsten im »Wendenkreuzzug« mit polnischer und dänischer Hilfe die slawischen Stämme der Obotriten und Luitizen und bekehrten sie zum Christentum. Besonders die heute in Sachsen und Brandenburg (Ober- und Niederlausitz) beheimateten Sorben (rund 60 000 Menschen) wurden im engeren Sinn als Wenden bezeichnet und als *Wendendörfer* jene Siedlungen, die überwiegend von Sorben bewohnt werden.

178,8 / 180,4 *Zaddik:* Im Chassidismus, einer mystischen Richtung des Judentums, die um die Mitte des 18. Jh.s von Israel ben Eliezer, genannt Baal Schem Tovv (um 1700–60), begründet wurde und gegen den strengen Formalismus des traditionellen Judentums das Vertrauen auf Gott setzte, wird der *Zaddik* (»der Gerechte«) als Führer und Mittler zwischen Chassidim (Gläubigen) und Gott sowie als Weiser verehrt. Von manchen Zaddikim wurde erzählt, sie könnten Wunder vollbringen (vgl. Anm. zu 61,22 / 62,30).

180,34 / 182,33 *So kam ich unter die Deutschen:* intertextueller Bezug auf die Schmährede gegen die Deutschen in Friedrich Hölderlins *Hyperion* (Stuttgart 2002, S. 171): »So kam ich unter die Deutschen. Ich forderte nicht viel und war gefaßt, noch weniger zu finden. [...] Barbaren von alters her, durch Fleiß und Wissenschaft und selbst durch Religion barbarischer geworden, tiefunfähig jedes göttlichen Gefühls, verdorben bis ins Mark zum Glück der heiligen Grazien, in jedem Grad der Übertreibung und der Ärmlichkeit beleidigend für jede gutgeartete Seele, dumpf und harmonielos, wie die Scherben eines weggeworfenen Gefäßes – das, mein Bellarmin! waren meine Tröster.«

181,10 f. / 183,11 f. *Nationalsozialistischen Volkswohlfahrt ... NSV:* 1932 gegründeter, der NSDAP angeschlossener Verband, der zuständig sein sollte für alle Fragen der Volkswohlfahrtspflege und Fürsorge. Zur NSV gehörte auch das Winterhilfswerk, das u. a. im Krieg Winterbekleidung für deutsche Soldaten sammelte. Die NSV verpflichtete sich in ihren Statuten, ausschließlich so genanntem »erbgesunden, arischen« Volk Hilfe zu leisten (vgl. Schmitz-Berning, S.443).

181,12 / 183,13 *karitative:* helfende, wohltätige.

185,30 / 187,34 *Verhaltensforscher:* hier der österreichische Verhaltensforscher und Zoologe Konrad Lorenz (1903–1989). In seinem berühmten Werk *Das sogenannte Böse. Zur Naturgeschichte der Aggression* (1963) vertrat Lorenz die später häufig kritisierte Meinung, menschliche Aggression sei genetisch angelegt und habe ihre Entsprechung in der Revierverteidigung der Tiere. Tiere seien jedoch normalerweise durch eine Tötungshemmung daran gehindert, Artgenossen zu vernichten, Menschen hingegen nicht.

185,34 / 188,1 f. *Großordinarius:* Ordinarius: Amtsbezeichnung für ordentliche Hochschulprofessoren; mit *Großordinarius* werden – informell – sehr bedeutende Professoren bezeichnet.

186,19 / 188,20 *Wunderwaffe:* In der nationalsozialistischen Propaganda wurde die Rakete »V2« (»V« für »Vergeltungswaffe«) sowie der erste Jäger und Jagdbomber mit Düsenantrieb (»Messerschmidt Me 262«) als *Wunderwaffe* bezeichnet. Bereits 1942 war die erste Rakete erfolgreich von Peenemünde aus gestartet worden. Knapp ein Jahr später begannen Zwangsarbeiter mit den Vorbereitungen, die »V2« im Harz in Serie zu produzieren, da die Produktionsstätten in Peenemünde von den Briten bombardiert worden waren. Tausende Gefangene starben im KZ Mittelbau-Dora, einem Außenlager von Buchenwald, bei der Produktion dieser Waffe.

186,27 / 188,30 *Gelaß:* Raum, Zimmer.

188,28 / 190,32 *military policeman:* (engl.) Militärpolizist.

189,29 / 192,16 *aus patriarchalischer Sicht:* hier: aus Sicht männlicher Vorherrschaft.

190,26 / 193,12 *sublimierte:* hier: erhöhte, geläuterte.

190,26 f. / 193,12 f. *Voyeurismus:* heimliches Beobachten anderer Menschen, oft zur eigenen sexuellen Befriedigung oder Stimulation.

191,2 / 193,23 *Straubing:* bayrische Stadt im Gäuboden, heute Verwaltungssitz des Landkreises Straubing-Bogen.

194,23 / 197,9 *Deggendorf:* bayrische Stadt an der Donau, heute Kreisstadt.

194,26 / 197,12 *Kibbuz:* (hebr.) eigtl. ›Versammlung, Gemeinschaft‹. Im spezifischeren Sinne bezeichnet *Kibbuz* eine kooperativ verwaltete Siedlung oder Gemeinschaft in Israel, zwischen 50 und 1000 Personen. Der Besitz ist in den Siedlungen Gemeinschaftseigentum; die Arbeit wird kollektiv organisiert. Die Kindererziehung wird ebenso als Aufgabe der Gemeinschaft angesehen. Alle Mitglieder tragen zum Kibbuz bei, indem sie ihren Fähigkeiten entsprechend arbeiten. Im Gegenzug erhalten sie je nach ihren Bedürfnissen Essen, Kleidung, Unterkunft oder auch medizinische Versorgung. Die Küchen und Läden des Kibbuz sind zentral organisiert. Ein von den Mitgliedern gewählter Vorstand leitet das Kibbuz. Wirtschaftlich gesehen tragen vor allem landwirtschaftliche Produkte einen Kibbuz. Der erste Kibbuz wurde 1909 am Ufer des Jordan gegründet.

195,2 / 197,22 *Vagabunden:* Umherziehende, Landstreicher.

195,26 / 198,12 *Vandalismus:* Zerstörungswut (abgeleitet von den Vandalen, einem Ostgermanenstamm).

196,27 / 199,10 *Parasiten:* Schmarotzer.

197,12 f. / 199,28 *»Du stehst in der Zeitung«:* vgl. S. 120–123.

199,14 / 201,29 *An den Wind geschrieben:* herausgegeben von Manfred Schlösser 1960 im Darmstädter Marion-von-Schröder-Verlag (Schriftenreihe Agora).

199,20 / 201,36 *Welch Wort in die Kälte gerufen:* herausgegeben von Heinz Seydel im Verlag der Nation (Ost-Berlin, DDR) 1968.

199,22 / 202,1 *einen prominenten Germanisten:* Heinz Politzer (1910–78), Professor für Sprach- und Literaturwissenschaften in Berkeley (Kalifornien), als Ruth Klüger ihn kennen lernte. Politzer wurde in Wien geboren, studierte dort und in Prag und wurde enger Mitarbeiter von Max Brod (s. Anm. zu 101,30 / 102,24) bei dessen Kafka-Edition. Den Krieg überlebte Politzer in Jerusalem.

200,26 / 203,8 *Nürnberger Prozesse:* Sammelbezeichnung für den Hauptkriegsverbrecherprozess sowie zwölf Nachfolgeprozesse, die von einem Internationalen Militärtribunal bzw. von amerikanischen Militärgerichten zwischen 1945 und 1949 in Nürnberg durchgeführt wurden. Im Hauptkriegsverbrecherprozess waren führende Personen der Regierung, der Partei, der Wirtschaft und Wehrmacht des »Dritten Reiches« sowie sechs nationalsozialistische Organisationen angeklagt.

201,32 / 204,11 *Entnazifizierungsprogramm:* Sammelbegriff für eine Reihe von Maßnahmen zur Bekämpfung der nationalsozialistischen Ideologie in Deutschland, die nach 1945 von den Siegermächten eingeleitet wurden. Hauptsächlich zielte das Entnazifizierungsprogramm –

zumindest zu Beginn – auf die Entfernung früherer Nationalsozialisten aus Führungspositionen. Seit 1946 sollten speziell eingerichtete deutsche Gerichte, so genannte »Spruchkammern«, die Betroffenen in fünf Kategorien einstufen: von »Hauptschuldiger« über »Mitläufer« bis zu »Entlasteter«. Die mit der Einstufung verbundenen Strafen reichten von der Inhaftierung über Geldbußen bis zu Freisprüchen. Die Wirksamkeit der Entnazifizierung litt nicht allein unter der Menge der Verfahren: Zwar blockierten Bagatellfälle oft die Beschäftigung mit schwerwiegenden Verfahren, doch machte die »Persilschein-Korruption« den Behörden zu schaffen. Reihenweise entlasteten Beschuldigte sich gegenseitig oder wurden durch Bestechung in eine harmlose Kategorie eingestuft.

204,25 / 207,3 *Diskriminierung:* Herabsetzung, Benachteiligung.

205,27 / 208,5 *dubiose:* zweifelhafte.

205,32 / 208,10 *Albert Einstein:* deutsch-amerikanischer Physiker und Nobelpreisträger (1879–1955), arbeitete zunächst nach einem nur mit Glück bestandenen Physikstudium beim Patentamt, promovierte dann aber doch in Zürich (1905). Er wurde in der Folge bekannt als Schöpfer der speziellen und allgemeinen Relativitätstheorie sowie durch seine Hypothese zur Teilchennatur des Lichtes zum wohl berühmtesten Naturwissenschaftler des 20. Jh.s und zur ersten »Popikone«. 1922 erhielt er den Nobelpreis für Physik. 1933 verließ Einstein Deutschland und lehrte als Professor in Amerika. Zeitlebens unterstützte er den Zionismus (s. Anm. zu 89,5 f. / 89,30), lehnte es aber ab, Präsident des Staates Israel zu werden, was ihm mehrfach angetragen worden war.

206,10 f. / 208,21 f. *Care-Paket:* Paket, in der Regel gefüllt mit Lebensmitteln; (engl.) *care* ›sorgen, kümmern‹ ist auch die Abkürzung der 1946 zur Linderung der Nöte

Z

Die **Z**wiebel ist der Juden Speise,
Das **Z**ebra trifft man stellenweise.

Illustration zum Buchstaben Z des *Naturgeschichtlichen Alphabets* von Wilhelm Busch (1865)

in den europäischen Ländern gegründeten amerikanischen Hilfsorganisation »Cooperative for American Remittances for Europe«.

207,6 / 209,18 f. *»Fetischismus«:* Verehrung eines Gegenstandes über seinen wahren Wert hinaus.

208,25 f. / 211,1 *»Naturgeschichtlichen Alphabet«:* Gedicht von Wilhelm Busch (s. Anm. zu 49,32 / 51,11), erstmals 1865 in der Satirezeitschrift *Fliegende Blätter* erschienen.

208,31 / 211,6 f. *philosemitischen:* tolerant gegenüber Juden und jüdischer Religion.

209,13 / 211,24 *Thomas Mann:* deutscher Schriftsteller (1875–1955), in Lübeck als Sohn einer alteingesessenen und wohlhabenden Kaufmannsfamilie geboren. Der Roman *Buddenbrooks. Verfall einer Familie* (1901) verhalf ihm zum literarischen Durchbruch. 1924 erschien der philosophisch-zeitkritische Roman *Der Zauberberg*. 1929 erhielt er den Literaturnobelpreis. 1933 kehrte Mann nicht mehr von einer Leserreise nach Deutschland zurück. Drei Jahre später wurde er offiziell ausgebürgert. Bis 1938 hielt er sich vorwiegend in der Schweiz auf, dann folgte er einem Ruf an die Universität Princeton (USA). Er lebte von 1942 bis 1952 in Pacific Palisades (Kalifornien). In seine amerikanische Phase fallen u. a. der Abschluss des Monumentalwerks *Joseph und seine Brüder* (1933–43) und *Doktor Faustus* (1947). Seine letzten Lebensjahre verbrachte Mann wieder in der Schweiz. Nach Deutschland kehrte er nur für Besuche zurück, so erstmals 1949, als er in Frankfurt und Weimar jeweils den »Goethepreis« entgegennahm.

209,16 / 211,27 *Schtetls: Schtetl*, Bezeichnung für die jüdischen Kleinstädte in Osteuropa, in denen das religiöse Leben eine dominante Rolle spielte. Diese jüdischen Wohnbezirke (als Alltagssprache wurde Jiddisch gesprochen) entstanden zum Teil freiwillig, zum Teil unter Zwang (Katharina die Große schränkte den Lebensraum für Juden ab 1796 auf nur 400 000 km^2 ein).

209,17 / 211,27 f. *Isaac Bashevis Singer:* jiddischer Schriftsteller und Nobelpreisträger (1904–91), wurde in Radzymin (Polen) als Sohn einer Rabbiner-Familie geboren. 1935 emigrierte er in die USA, wo er sich zunächst journalistisch betätigte. 1978 erhielt er für sein Lebenswerk (u. a. *Jakob der Knecht*, 1965, *Mein Vater, der Rabbi*, 1971, *Verloren in Amerika*, 1983, *Eine Kindheit in Warschau*, 1984) den Literaturnobelpreis.

209,20 / 211,31 *Rotwelsch:* im Mittelalter entstandene Geheim- und Sondersprache, vor allem im Gaunermilieu verwendet.

209,25 / 211,36 *scholastischen:* Scholastik: mittelalterliche Philosophie, Schulweisheit.

210,19 / 212,29 *Bauernkriegs:* Aufstand der Bauern und einiger Städte in Deutschland (1524–26). Die Reformation und die zunehmende rechtliche, politische und soziale Unterdrückung seitens der Landesherren gegenüber den Bauern gelten als Auslöser für den Bauernkrieg. Er endete mit der vollständigen Niederlage der Bauernschaft, die keinerlei Zugeständnisse erreichen konnte und anschließend als politische Gruppe in die Bedeutungslosigkeit abgedrängt wurde.

Erasmus': Erasmus von Rotterdam, auch Erasmus Desiderius (um 1466 – 1536), niederländischer Philologe und Theologe, einer der bedeutendsten Humanisten und Wegbereiter der Reformation, trat nach dem Tod seines Vaters in das Augustinerkloster Steyn bei Gouda ein und entwickelte sich zu einem Kritiker einer erstarrten Scholastik, wandte sich schließlich vom Klosterleben ab und widmete sich einem weltlichen Broterwerb. Er wurde später vom Papst von seinen Ordensgelübden entbunden. Erasmus reiste viel; in England half er der Durchsetzung des Humanismus.

211,30 / 214,3 *Marinade:* eigtl. stark gewürzte Tunke, hier eher: Voraussetzung, durch die die Freundschaft gelingen konnte.

212,8 / 214,17 *Stefan Georges Gedichte:* St. G. (1868–1933), deutscher Lyriker, kam, durch den französischen Symbolismus inspiriert, zunächst zu einem elitären Kunstverständnis des »L'art pour l'art« (»Kunst um der Kunst willen«). Zusammen mit einem von ihm initiierten Kreis von Dichtern und Literaturwissenschaftlern versuchte er – als Gegenbewegung zu Realismus und Naturalismus –, die deutsche Dichtung in Sprache, Form und Ästhetik grundsätzlich zu reformieren. Um 1900 wandte sich George vom reinen Ästhetizismus ab. In seinem Gedichtband *Das neue Reich* (1928) schildert George seine Vision von einem neuen Deutschland, das u. a. durch Friedrich Nietzsche inspiriert war. Die Nationalsozialisten versuchten, Georges Werke für sich zu vereinnahmen. Der Dichter entzog sich jedoch 1933 durch die Emigration in die Schweiz, wo er kurze Zeit darauf starb.

212,34 / 215,8 *genuiner:* angeborener, natürlicher.

213,7 f. / 215,16 *Kabbala:* (hebr.) *Qabbalah* ›Überlieferung‹, im weiteren Sinn Bezeichnung für die spekulative jüdische Geheimlehre und Mystik, im engeren Sinn für eine religiöse Bewegung, die im 13. Jh. in Spanien und Südfrankreich ihren Anfang nahm: Von ihr gingen alle späteren mystischen Strömungen im Judentum aus.

213,11 / 215,20 *Lots Frau:* Bevor Gott die sündige Stadt Sodom zerstörte, wurden Lot und seine Frau gewarnt. Obwohl ihnen gesagt worden war, sich beim Verlassen der Stadt nicht umzuschauen, blickte Lots Frau auf der Flucht zurück und erstarrte zur Salzsäule (1. Mose 19,26).

214,6 f. / 216,14 *Erich Kästners Weinerlichkeiten:* Anspielung auf Kästners (1899–1974) Text *Was in den Konzentrationslagern geschah* (1946): »Man taxiert, daß zwanzig Millionen Menschen umkamen. Aber sonst hat man wahrhaftig nichts umkommen lassen ... 1,87 RM pro Person.« Kleider, Goldplomben, Ohrringe und Schuhe seien extra gegangen. »Kleine Schuhe darunter. Sehr kleine Schuhe. In Theresienstadt, schrieb mir neulich jemand, führten dreißig Kinder mein Stück ›Emil und die Detektive‹ auf. Von den dreißig Kindern leben noch drei. Siebenundzwanzig Paar Kinderschuhe konnten verhökert werden. Auf daß nichts umkomme« (*Kästner für Erwachsene*, hrsg. von Rudolf Walter Leonhardt, Frankfurt a. M. 1966, S. 474).

214,8 f. / 216,16 *pars pro toto:* (lat.) ein Teil für das Ganze; rhetorische Figur.

214,12 / 216,20 *non sequitur:* (lat.) es folgt nicht; Bezeichnung für einen Fehler in einem logischen Schluss.

214,28 f. / 216,37–217,1 *inkommensurabel:* unvergleichbar.

214,30 / 217,2 f. *tertium comparationis:* (lat.) Vergleichspunkt.

214,33 / 217,5 *Kommilitonen:* Mitstudierende.

215,2 / 217,9 *sein Wort zu Auschwitz gesagt:* Gemeint ist Martin Walsers Aufsatz *Unser Auschwitz* (1965; abgedruckt in: M. W., *Heimatkunde. Aufsätze und Reden*, Frankfurt a. M. 1968, S. 7–23). Die Schrift ist im Kontext der Frankfurter Auschwitz-Prozesse (s. Anm. zu 75,19 / 75,19) entstanden und wurde gerade in den letzten Jahren im Zuge der Auseinandersetzungen um Walsers »Paulskirchenrede« und seinen Roman *Tod eines Kritikers* (vgl. dazu den Brief Klügers an Walser, hier S. 157–163) kritisiert (vgl. Heidelberger-Leonard, S. 25 ff.).

215,17 / 217,25 *Stalag:* Bezeichnung für die deutschen Kriegsgefangenenlager. Die Soldaten wurden nach Rängen unterschiedlich untergebracht: Offiziere in den »Oflags« (Offizierslager), Mannschaftsdienstgrade in den »Stalags« (Stammlager). Die US-Fernsehserie um ein deutsches Stalag, die hier erwähnt wird, hieß im Original *Hogan's Heroes* (1965–71; dt. *Ein Käfig voller Helden*). Die TV-Unterhaltungs-Satire porträtiert eine Gruppe alliierter Gefangener, die ihre deutschen Bewacher an der Nase herumführt.

215,20 / 217,27 f. *»Your dad, o. k., but not your mother«:* (engl.) »Dein Vater, einverstanden, aber nicht deine Mutter!«

217,24 f. / 219,30 f. *Kröten sprechen … Goldstücke … Goldwaage:* uminterpretierende Verbindung zweier sprichwörtlicher Redensarten: »Kröten schlucken« (etwa: »Wer eine Kröte fressen will, muß sie nicht lange besehen«, Simrock, *Deutsche Sprichwörter*, S. 307) und »Worte auf die Goldwaage legen«, also genauestens zu verstehen suchen (z. B. Cicero, *De Oratore* II, 38, 159).

218,12 / 220,16 *Anouilhs Antigone:* Das Drama Jean Anouilhs (1910–87) entstand 1942 und wurde 1944 erstmals aufgeführt. Die gezeigten Akteure sind Menschen des 20. Jh.s, sprechen die Alltagssprache aus dieser Zeit und rauchen Zigaretten. Doch formal bleibt Anouilhs Stück der antiken Vorlage eng verbunden: So bleibt z. B. die Einheit der Zeit und des Ortes gewahrt. Auch in der äußeren Handlung bleibt Anouilh Sophokles (vgl. Anm. zu 35,24 / 37,15) treu: König Kreon hat das Gesetz erlassen, dass Polyneikes als Staatsfeind nicht bestattet werden darf. Antigone aber lehnt sich gegen dieses Verbot auf und beerdigt den Toten als ihren Bruder. In der folgenden Auseinandersetzung stehen sich Kreons Beharren auf Staatsraison und Antigones Eigenwilligkeit gegenüber. Antigone geht in den Tod – doch behält sie in Anouilhs Konzeption mit ihrer souveränen Haltung und Entscheidung nicht mehr Recht als Kreon.

219,6 / 221,11 *in limbo:* in Dante Alighieris Gedichtepos *La Divina Commedia* die Vorhölle (vgl. Anm. zu 71,23 / 71,23 und 219,7 / 221,12).

219,7 / 221,12 *Dante:* Dante Alighieri (1265–1321), italienischer Dichter, bekleidete in Florenz bis zu seiner Verbannung 1302 mehrere öffentliche Ämter. Seine *Divina Commedia* (entstanden um 1307–21, Erstdruck 1472) gehört zu den bedeutendsten Werken der Weltliteratur. Sie beschreibt Dantes Wanderung durch die drei Reiche des Jenseits (Hölle, Fegefeuer und Paradies) und seine Begegnungen mit den Seelen (meist berühmter) Verstorbener.

219,33 / 222,2 *Ernie Pyle:* einer der populärsten US-Berichterstatter (1900–45) im Zweiten Weltkrieg. Er fiel während eines Gefechts mit japanischen Soldaten auf einer Pazifikinsel.

223,6 / 225,6 f. *Krethi ... Plethi:* umgangssprachliche Verballhornung von »Kreter und Philister« (Altes Testament) für »Hinz und Kunz«, d. h. alle Möglichen.

225,21 / 227,20 *kompromittierend:* bloßstellend.

225,26 / 227,24 *Backfisch:* veraltet für ein (verklemmtes) Mädchen von etwa 14 bis 17 Jahren.

226,21 / 228,19 *Long Island:* Insel im Südosten des amerikanischen Bundesstaates New York, Wohnsitz sehr wohlhabender Bürger.

227,28 / 229,26 *Ph. D.:* Abkürzung für »Philosophical Doctor«, entspricht dem deutschen Grad eines Dr. phil.

227,29 /229,28 *Bachelor:* niedrigster akademischer Abschluss an einer amerikanischen oder englischen Hochschule, inzwischen auch in der BRD.

231,13 / 233,10 *Shakespeare:* William Sh. (1564–1616), englischer Schriftsteller, Lyriker und Schauspieler; wurde vermutlich in Stratford-upon-Avon geboren, übersiedelte 1588 nach London und war bereits 1592 dort als Bühnenautor bekannt. Ab 1599 war er Teilhaber des Globe-Theaters und ab 1608 des Blackfriars. Obwohl die Kritik nicht durchgehend positiv auf seine Stücke reagierte, wurden sie am Hofe Königin Elisabeths I. und König Jacob I. häufiger als andere gespielt (*Richard III.*, 1593; *A Midsummer Night's Dream*, um 1595, *Hamlet*, 1601, *Macbeth*, 1606, *The Tempest*, 1611). Wohl kaum ein Dramatiker hat eine solche Nachwirkung erzielt wie Shakespeare: Bis in die heutige Zeit gehören seine Stücke zum festen Theater-Repertoire weltweit, die immer wieder auch verfilmt werden und so ein Millionenpublikum anziehen.

Faulkner: William Cuthbert F. (1897–1962), amerikanischer Schriftsteller, arbeitete – da er keinen High-School-Abschluss erworben hatte – im Bankhaus seines Großvaters mit. 1924 legte er mit seinem Gedichtband *The Marble Faun* sein erstes literarisches Werk vor. Faulkner lebte danach als Journalist und Schriftsteller: Nach seinem Romandebüt *Soldier's Pay* (1926) erregte er insbesondere mit seinen düster geprägten Mississippi-Romanen Aufmerksamkeit (*Sartoris*, 1929; *As I lay dying*, 1930 u. a.). Die Protagonisten dieser im fiktiven Yoknapatawpha County spielenden Erzählungen sind Faulkners eigenen Vorfahren nachgebildet. 1950 erhielt er den Literaturnobelpreis.

231,20 / 233,17 *graduate student:* (engl.) etwa gleichbedeutend mit »Promotionsstudent«.

234,2 / 235,28 *»Blitz«:* umgangssprachlicher englischer Ausdruck für die deutschen Luftangriffe auf England 1940–41. Der Begriff wurde von dem deutschen Wort »Blitzkrieg« abgeleitet, das in der nationalsozialistischen Propaganda die für die Deutschen schnell und erfolgreich beendeten Feldzüge (etwa gegen Polen) zu Beginn des Zweiten Weltkriegs bezeichnete.

234,12 / 236,2 *Kolloquium:* hier: Seminar für höhere Semester.

235,2 / 236,28 *Camouflage:* Possenspiel; hier: Tarnung.

235,34 / 237,25 *Puristen:* eigtl. Anhänger eines reinen Kunststils oder einer »reinen« (fremdwörterarmen) Verwendung der Sprache. Hier: Anhänger der (r)einen Wahrheit.

237,13 f. / 239,4 *Reiter über den Bodensee:* Anspielung auf Gustav Schwabs (1792–1850) Gedicht *Der Reiter und der Bodensee*: Ein Reiter durchquert eine Schneelandschaft, erreicht ein Dorf, fragt, ob es noch weit bis zum Bodensee sei – und bekommt zur Antwort, er habe diesen gerade überquert und sei erstaunlicherweise nicht eingebrochen: Der Mann stirbt vor Entsetzen.

237,32 / 239,25 *pathologische:* krankhafte.

238,8 / 239,35 *diversen:* verschiedenen.

238,24 / 240,17 *midtown:* (engl.) Stadtmitte.

238,27 / 240,20 *grassierte:* sich schnell ausbreitete.

239,11 / 241,1 *»nursing school«:* (engl.) Krankenpflegeschule.

245,10 f. / 246,35: *lethargisch:* müde, bewegungsunfähig.

246,17 / 248,6 *›first papers‹:* feststehender amerikanischer Ausdruck für die Dokumente, die man bei der Bewerbung um die amerikanische Staatsbürgerschaft ausfüllen muss.

246,24 / 248,14 *Eisenhowers:* Dwight D. Eisenhower (1890–1969), 34. Präsident der USA (1953–61), General im Zweiten Weltkrieg, absolvierte die Militärakademie »West Point«, wurde 1942 Oberbefehlshaber der US-Truppen in Europa und leitete 1944 als Oberbefehlshaber der alliierten Truppen die Landung in der Normandie. Nach dem Krieg wurde Eisenhower Oberbefehlshaber der Besatzungstruppen. 1951 kehrte er als Oberbefehlshaber der NATO nach Europa zurück. 1952 schließlich trat Eisenhower für die Republikaner als Präsidentschaftskandidat an: Er gewann, wie auch vier Jahre später, dank seiner enormen Popularität.

246,28 / 248,17 f. *Alexander Popes:* A. Pope (1688–1744), englischer Lyriker und Schriftsteller, wurde in London geboren und genoss schon früh eine umfangreiche literarische Bildung. Er verhalf dem Versepos zum Durchbruch und machte es zur bestimmenden Gattung seiner Epoche. Zu seinen berühmtesten Werken zählen *The Rape of the Lock* (1712, revidiert 1714), in dem er ein satirisches Panorama der Londoner Gesellschaft entwarf, und *Essay on Man* (1734), in dem er die Existenz Gottes zu beweisen suchte.

246,29 / 248,18 *Jonathan Swifts:* J. Swift (1667–1745), irisch-englischer Schriftsteller, wurde in Dublin als Sohn einer aus England stammenden Familie geboren. Er studierte Theologie und wurde später in Irland zum anglikanischen Priester geweiht (1713 wurde er Dekan von »Saint Patrick's« in Dublin). Dort fand er viel Zeit für seine schriftstellerischen Tätigkeiten. Als bissiger Satiriker erlangte er bald Berühmtheit. Zu seinen bekanntesten Werken gehört *Gulliver's Travels* (*Gullivers Reisen*, 1726): als Kinder- und Jugendbuchklassiker missverstanden, doch in seiner Gesamtheit eine scharfe Karikatur seiner Zeit.

247,10 / 248,34 *Nuancen:* hier: Feinheiten, Merkmale.

247,30 / 249,18 f. *Orthodoxen:* Als »orthodoxes Judentum« bezeichnet man allgemein die streng religiöse Glaubensrichtung der Juden. 1807 wurde der Begriff erstmals von deutschen Reformjuden für ihre traditionalistischen Gegner benutzt. Heute steht er innerhalb des Judentums für jene Gläubigen, die die »Halacha« (die jüdische Gesetzeslehre) als verbindlich ansehen. Außerhalb Nordamerikas können die meisten Juden, die einer religiösen Organisation zugehören, als orthodox bezeichnet werden.

248,31 f. / 250,19 *Gesprächsduktus:* hier: Gesprächsmuster.

248,33 / 250,20 f. *Golfkrieg:* erster Krieg zwischen dem Irak und alliierten Streitkräften unter Führung der USA Januar /Februar 1991. Auslöser des damaligen Konflikts war der Überfall des Irak unter Saddam Hussein auf Kuwait.

250,32 / 252,19 *Barbra Streisand:* amerikanische Schauspielerin und Sängerin (geb. 1942), die u. a. durch ihre Rolle in *Yentl* (1983) weltberühmt wurde. Sie führte in diesem preisgekrönten Film nach einer Erzählung Isaac Bashevis Singers (s. Anm. zu 209,17 / 211,27 f.) auch Regie.

251,13 / 252,35 *konvertiert:* den Glauben gewechselt.

251,20 f. / 253,6 *Prager Botschaft:* Ab August 1989 flohen innerhalb weniger Wochen Tausende DDR-Bürger in die bundesdeutsche Botschaft in Prag, um ihre Ausreise in die BRD zu erzwingen. Nach mehrwöchigen Verhandlungen durften die 7000 Flüchtlinge schließlich am 1. Oktober 1989 ausreisen. Diese Massenflucht gilt als Mit-Auslöser für die Öffnung der Grenze zwischen der ehemaligen DDR und der BRD.

252,32 / 254,16 *logozentrischen:* den Geist als ordnendes Prinzip ins Zentrum stellenden; hier: geistig-philosophischen.

253,9 / 254,28 *koscherem:* den Regeln der jüdischen Speisegesetze entsprechendem.

255,27 / 257,9 *Matisse:* Henri M. (1869–1954), französischer Maler. 1892 gab er seinen Beruf als Anwalt endgültig auf, um Malerei in Paris zu studieren. Matisse entwickelte sich in der Folge zu einem der bedeutendsten Vertreter des Fauvismus, einer Richtung der französischen Malerei, die die Farbkonzepte der modernen Kunst revolutionierte. Im Gegensatz zu den weichen Farben der Impressionisten bevorzugten die Fauvisten eine kräftige Farbgebung, ebensolche Linienführungen und eine vereinfachte, wenn auch dramatische Oberflächengestaltung.

255,30 / 257,13 f. *El Grecos verzerrten Gestalten:* El Greco, eigtl. Dominikos Theotokopoulos (1541–1614), spanischer Maler griechischer Herkunft (span. *el greco* ›der Grieche‹), erlernte das Malen vermutlich in seiner Heimat Kreta. El Greco wurde zu einem der bedeutendsten Vertreter des (späten) Manierismus, einer Kunstrichtung, die sich zwischen Renaissance und Barock in Italien entwickelte. Typisch für El Grecos Bilder sind die stark überlängten Figuren (das Verhältnis von Kopflänge und Gesamtkörper in der Regel 1:10) und häufig eine religiöse Thematik.

255,32 / 257,15 *Goya:* eigtl. Francisco José de Goya y Lucientes (1746–1828), spanischer Maler und Kupferstecher, einer der Altmeister der spanischen Malerei. Goya hat wie kein anderer bildender Künstler seines Landes als Wegbereiter und Anreger der Moderne gewirkt. Goya ertaubte 1792. Von da an durchzog ein pessimistischer Grundton seine Werke. Vor allem die Kriegsgräuel fing er in seinen Bildern immer wieder ein, so etwa die schrecklichen Ereignisse während der Napoleonischen Kriege (1808–12).

256,26 / 258,8 f. *Guggenheim-Museum:* Museum für moderne Kunst in New York, das nach dem amerikanischen Industriellen Solomon R. Guggenheim (1861–1949) benannt ist, der sich auch als Kunstsammler einen bedeutenden Namen erwarb.

256,29 / 258,12 *Expressionisten:* von (lat.) *expressio* ›Ausdruck‹; eine künstlerische Bewegung des frühen 20. Jh.s in der Literatur, der bildenden Kunst, der Architektur, den darstellenden Künsten und der Musik. Bevorzugte Darstellungsmittel in der bildenden Kunst sind Verzerrung der Formen und Proportionen, eine radikale Vereinfachung und die Verwendung ungebrochener Farbtöne, die oft in grellen Kontrasten gegeneinander gesetzt werden.

256,30 / 258,12 f. *Frank Lloyd Wrights:* F. L. Wright (1869–1959) war einer der bedeutendsten amerikanischen Architekten und wurde vor allem für seine »organische Architektur« bekannt. Er entwarf das Guggenheim-Museum (s. Anm. zu 256,26 / 258,8 f.).

257,7 / 258,24 *Frick-Galerie:* Kunstgalerie in New York, erbaut und benannt nach Henry Clay Frick (1849–1919), einem der erfolgreichsten Stahl- und Eisenbahnunternehmer Amerikas.

257,8 / 258,25 *Holbein:* Hans H., der Ältere (um 1465 – 1524 ?), deutscher Maler und Zeichner, der von der niederländischen Malerei beeinflusste Porträts, Altäre und Silberstiftzeichnungen sowie Entwürfe für Glasfenster und Goldschmiedearbeiten schuf; dessen Sohn, Hans H., der Jüngere (1497–1543), Maler und Zeichner und der letzte bedeutende Vertreter der altdeutschen Malerei. Er wurde insbesondere durch seine Porträtgemälde und Holzschnitte berühmt. Holbein d. J. wirkte auch erfolgreich in England und schuf dort Porträts u. a. von Oliver Cromwell und Heinrich VIII.

257,8 f. / 258,26 *Turner:* Joseph Mallord William T. (1775–1851), englischer Landschaftsmaler, gilt als einer der großen Inspiratoren des Impressionismus, jener Kunstrichtung, bei der die Wiedergabe der natürlichen Lichtwirkungen im Zentrum des Interesses standen. Zu Turners bekanntesten Bildern gehören *Der Brand der Houses of Parliament* (1835) und *Norham Castle bei Sonnenaufgang* (1835–42).

257,10 / 258,27 *Museum of Modern Art:* berühmtes New Yorker Museum für moderne Kunst, gegründet 1929.

257,10 / 258,27 f. *Picassos Guernica:* monumentales Ölgemälde von Pablo Picasso (1881–1973), das die Zerstörung der Stadt Guernica (nahe Bilbao) im Spanischen Bürgerkrieg durch deutsche Bomber (1937) umsetzt. Während des Angriffs, bei dem deutsche Truppen (»Legion Condor«) erstmals nach dem Ersten Weltkrieg wieder an Kampfhandlungen außerhalb Deutschlands teilnahmen, starben über 1650 Menschen.

258,26 / 260,10 *»Käthchen von Heilbronn«:* Drama in fünf Akten von Heinrich von Kleist (s. Anm. zu 158,5 / 159,3), entstanden 1807/08 (uraufgeführt 1810). Im Mittelpunkt des mit märchenhaften Elementen arbeitenden Ritterschauspiels steht die rätselhafte Liebe der Titelheldin zum Grafen Friedrich Wetter vom Strahl, dem sie treu ergeben ist. Nach turbulenten Zwischenspielen entpuppt sich das Käthchen als eine Tochter des Kaisers und wird als »reinste Verkörperung der Grazie« (Kleist) die Ehefrau des Grafen.

259,5 / 260,24 *American Friends Service Committee:* amerikanische Hilfsorganisation, gegründet 1917 von Quäkern (vgl. unten). 1947 wurde das Komitee mit dem Friedensnobelpreis ausgezeichnet.

259,5 / 260,25 *Quakers:* Quäker, eigtl. »Society of friends« (»Gesellschaft der Freunde«), eine Glaubensrichtung, die davon ausgeht, dass sich Gott jedem Menschen individuell offenbart. Die Quäker haben keine Glaubensdogmen und lehnen einen hauptamtlichen Klerus ab. Im Zentrum der Bemühungen stehen Nächstenliebe, Aufrichtigkeit und Offenheit.

259,31 / 261,15 *Chiaroscuro:* (ital.) *chiaro* ›hell‹, (ital.) *scuro* ›dunkel‹; Bezeichnung für »Helldunkelmalerei«: ein wichtiges Gestaltungsmittel in der Graphik und Malerei, das sich des Gegensatzes von Hell und Dunkel (Licht und Schatten) bedient, um bestimmte Wirkungen zu erzielen.

260,14 f. / 261,34 f. *Wer nannte seine Stadt ein Mütterchen mit Krallen:* In einem Brief an seinen Schulfreund Oskar Pollak (1883–1915) schrieb Franz Kafka am 20. Dezember 1902: »Prag lässt nicht los. Uns beide nicht. Dieses Mütterchen hat Krallen« (Franz Kafka, *Briefe 1902–1924*, hrsg. von Max Brod, Frankfurt a. M. 1975, S. 14).

260,22 / 262,6 *Kaufmann von Venedig:* fünfaktige Komödie in Vers und Prosa von William Shakespeare (s. Anm. zu 231,13 / 233,10), entstanden vermutlich zwischen 1596 und 1598. Im Mittelpunkt der Handlung steht der venezianische Kaufmann Antonio, der in zahlreiche Schiffe investieren will, die für ihn Handel treiben. Er leiht sich von dem jüdischen Händler Shylock 3000 Dukaten. Der sieht eine günstige Gelegenheit, sich an den Christen, die ihn verachten, zu rächen: Als Bedingung für das Darlehen verlangt er einen Schuldschein, der festschreibt, dass Shylock ein Pfund Fleisch aus dem Körper Antonios erhält, falls die Summe nicht fristgerecht zurückgezahlt werden kann. Antonios Schiffe sinken. Der Schuldner-Fall landet schließlich vor Gericht. Dort wird festgelegt, Shylock müsse das Pfund Fleisch aus Antonio ohne Blutvergießen herausschneiden, andernfalls werde Shylock als Mörder verurteilt. Antonio ist gerettet; Shylock muss sich zum Christentum bekennen. Das Stück klingt mit einem heiteren Nachspiel aus: Antonio erfährt, dass nun doch nicht alle seine Schiffe gesunken sind. Shakespeares Shylock-Figur hat im Laufe der Jahrhunderte vielfältige Interpretationen erfahren: Nicht selten wurde sie als Verkörperung antisemitischer Klischees verstanden, doch wird sie besonders auch in heutigen Inszenierungen als tragische Figur angelegt, die ein Opfer dieser Vorurteile ist.

260,26 / 262,10 *»Erlebnislyrik«:* bezeichnet in (überholter) literaturwissenschaftlicher Terminologie jene lyrischen Produkte, die aus dem persönlichen Erlebnis eines Autors hervorgehen und dies oft auch zeigen (etwa Goethes Liebeslyrik).

260,26 / 262,10f. *»Rollengedicht«:* lyrische Form, in der der Dichter seine (eigenen oder nachempfundenen) Gefühle einer typischen Figur (Wanderer, Schäfer, Liebhaber usw.) in den Mund legt und als Ich-Monolog zum Ausdruck bringt (z.B. Goethes *Schäfers Klagelied*).

260,27 / 262,11 *Intertext:* »Intertextualität« ist die (literaturwissenschaftliche) Sammelbezeichnung für die Bezüge, die ein Text zu anderen Texten (oder Sinnsystemen) hat, etwa durch Zitate, Verweise, Anspielungen. *weiter leben* ist ein Paradebeispiel für einen Text mit einer Vielzahl von Bezügen.

261,8 / 262,19 *Rialto:* Die Rialtobrücke aus dem 16. Jh. ist die berühmteste Brücke, die in Venedig den Canale Grande überspannt.

261,17 / 262,28 *Gecken:* Geck: eitler, sich auffällig modisch kleidender Mann.

261,28 / 263,8 *Dukaten:* Goldmünzen, seit dem Spätmittelalter bis ins 19./20. Jh. in Europa verbreitet, ursprünglich aus Italien.

262,28 / 264,4 *Westchester County:* Verwaltungsbezirk im US-Bundesstaat New York.

263,10 / 264,18 *Lorenzo:* Figur aus Shakespeares *Kaufmann von Venedig* (s. Anm. zu 260,22 / 262,6), Freund von Antonio.

263,15–17 / 264,24f. *In Venedig wohnte sie im Ghetto ... wo das Wort herkommt:* vgl. Anm. zu 36,22 / 38,11.

263,23 / 264,32 *»Cordelia landet in Dover«:* Ruth Klügers imaginärer Gedichttitel spielt auf William Shakespeares (s. Anm. zu 231,13 / 233,10) Drama *King Lear* (erstmals 1606 aufgeführt) an. Cordelia ist die einzige von drei Töchtern, die ihren Vater King Lear wirklich liebt und ihn schließlich – nachdem sie selbst zwischenzeitlich vom verblendeten Vater nach Frankreich verbannt worden war – vor ihren Schwestern Goneril und Regan retten will. King Lear, wahnsinnig und mittlerweile ohne Macht, erkennt die Liebe seiner Tochter Cordelia zu spät: Sie wird in den Kerkern Gonerils und Regans erhängt, Lear stirbt am Schmerz über ihren Tod.

265,28 / 267,4 *Forest Hills:* Stadt im Queens County im US-Bundesstaat New York.

269,6 / 269,6 f. *»Don Carlos«: Don Karlos*, fünfaktiges Drama von Friedrich Schiller (s. Anm. zu 11,30 / 13,30), entstanden zwischen 1783 und 1787. Die Handlung spielt in Spanien in der zweiten Hälfte des 16. Jh.s. Im Mittelpunkt stehen der Sohn des spanischen Königs Philipps II., Don Carlos (Karlos), und dessen Freund, der Marquis von Posa. Beide werden aus unterschiedlichen Motiven zu Gegenspielern des Königs, der mit harter Hand das spanische Großreich regiert. Carlos und Posa werden in diesem Ideendrama zu Sprachrohren von Schillers philosophisch-politischen Ideen über Freiheit und Menschenadel. Zentral werden dabei Posas eindringliche Worte an den König: »Geben Sie / Die unnatürliche Vergöttrung auf, / Die uns vernichtet. [...] / Gehn Sie Europens Königen voran. / [...] Geben Sie / Gedankenfreiheit« (III,10; F. Sch., *Don Karlos*, Stuttgart 2001, S. 126). Das Stück endet jedoch mit Posas Tod und Don Carlos' Übergabe an die Inquisition.

269,29 f. / 269,30 f. *Dostojewski ... »Aufzeichnungen aus einem Totenhaus«:* Roman des russischen Realisten Fjodor Michailowitsch D. (1821–81), zunächst 1861–62 in der Zeitschrift *Vremja* (*Die Zeit*) erschienen. Der Roman schildert die Erlebnisse eines unter Nikolas I. in Sibirien Inhaftierten; er orientiert sich an Dostojewskijs eigenen Erfahrungen in sibirischer Gefangenschaft und besitzt daher trotz seiner Fiktionalität hohen dokumentarischen Wert.

269,32 / 270,1 *Holocaust-Literatur:* relativ neuer literaturwissenschaftlicher Begriff, der die Gesamtheit der Texte bezeichnet, die sich zentral auf den Holocaust beziehen.

Der Begriff schließt sowohl authentische als auch fiktionale Texte ein; wissenschaftliche Werke werden von dieser Gattungsbezeichnung nicht erfasst (vgl. Sascha Feuchert, »Einleitung«, in: *Holocaust-Literatur. Auschwitz*, hrsg. von S. F., Stuttgart 2000 [Arbeitstexte für den Unterricht]).

270,3 / 270,3 *»Brüdern Karamasow«:* letzter Roman von Fjodor Michailowitsch Dostojewskij (s. Anm. zu 269,29 / 269,30), erschienen 1881, der die Geschichte der Familie Karamasov als Gleichnis für die menschliche Situation schlechthin erzählt. Der von Ruth Klüger erwähnte Großinquisitor ist eine Figur in einer Binnenerzählung, die in die Romanhandlung eingeführt wird. Gegenstand derselben ist eine Legende um Jesus Christus: Der Gottessohn erscheint im mittelalterlichen Spanien, wird erkannt und auf Geheiß jenes Großinquisitors eingekerkert. An der Auseinandersetzung zwischen dem Großinquisitor, der sich zum Anti-Christ bekennt, und Jesus Christus exemplifiziert Dostojewskij u. a. seine Kritik am westeuropäischen Christentum und der römischen Kirche als Verkörperung weltlicher Macht.

270,5 / 270,6 *Nudelhaus:* bekanntes Göttinger Studentenlokal in der Jüdenstraße (Innenstadt), nicht weit vom »Jungen Theater« und vom »Deutschen Theater«.

271,10 / 271,10 *Amnesie:* (oft begrenzter) Gedächtnisverlust.

271,14 / 271,14 *»unerase«:* (engl.) Löschung zurücknehmend.

276,14 / 276,13 *Charlottesville:* Stadt im US-Bundesstaat Virginia.

278,4 f. / 277,35 *Kontinuum:* lückenloser Zusammenhang.

278,32 / 278,29 *You bear grudges:* (engl.) Du bist nachtragend.

279,1 / 278,33 *Cast out remorse:* (engl., wörtl.) Reue vertreiben. Zitat aus der vierten Strophe des Gedichts *A Dialogue of Self and Soul* (1929) des irischen Dichters

William Butler Yeats (s. Anm. zu 47,2 / 48,18), die im Ganzen lautet: »When such as I cast out remorse / So great a sweetness flows into the breast / We must laugh and we must sing, / We are blest by everything, Everything we look upon is blest.«

279,20 / 279,16 *Hofmannsthal:* Hugo von H. (1874–1929), österreichischer Dichter, der mit Arthur Schnitzler und Richard Beer-Hofmann zu den zentralen Gestalten der Wiener Moderne zählt. Seine frühen Werke sind häufig von einer ausgeprägten Todesmetaphorik durchzogen und erheben das Ästhetische zur letzten Instanz des menschlichen Daseins. Unter dem Eindruck einer schweren inneren Krise formulierte Hofmannsthal 1902 im so genannten *Chandos-Brief* (s. Anm. zu 147,27 / 148,28) seine Bedenken gegen das Gelingen der Sprache als Kommunikationsmittel.

Elektra: Figur aus der griechischen Mythologie, Tochter des Agamemnon und der Klytämnestra. Nachdem ihre Mutter und deren Geliebter Ägisthus Agamemnon ermordet hatten, um das Königreich Mykene selbst zu regieren, konnte Elektra ihren Bruder Orestes in Sicherheit bringen. Sie selbst lebte fortan sieben Jahre in äußerster Armut und unter strenger Aufsicht in Mykene. Dennoch nahm sie immer wieder Kontakt mit Orestes auf und erinnerte ihn ständig an die Bluttat, die Orestes schließlich rächte. Sophokles (s. Anm. zu 35,29 / 37,20), Hofmannsthal (s. Anm. 279,20 / 279,16) und andere widmeten dem Elektra-Stoff Dramen.

281,20 / 281,14 *John Wayne:* eigtl. Marion Michael Morrison (1907–79), amerikanischer Schauspieler und Oscar-Preisträger, vor allem bekannt als Westernheld.

282,11 / 282,5 *»Onkel Toms Hütte«:* Roman von Harriet Beecher-Stowe (1811–96), der ab 1852 zunächst als Fortsetzungsgeschichte in einer Washingtoner Zeitung erschien. Thema ist der brutale Alltag der Sklaverei in den amerikanischen Südstaaten. Der trotz allem verklärende Roman erlebte binnen kurzer Zeit weltweit eine Millionenauflage und sorgte für erhebliche politische Auseinandersetzungen nicht nur in Amerika.

282,20 f. / 282,15 f. *der Gläubige das heiße Eisen beim Gottesurteil:* Angespielt wird auf die so genannte Feuerprobe im Rahmen eines Prozesses der heiligen Inquisition, bei der man ein Stück heißes Eisen einige Schritte weit tragen musste, um zu beweisen, dass man dem Teufel nicht verfallen war. Gelang die Feuerprobe, so war die Unschuld bewiesen, wurde jedoch nur selten angewendet, da man diesen Beweis relativ leicht erbringen konnte.

283,7 f. / 283,2 *Ressentiments:* starke Gefühle der Abneigung.

II. Historischer Hintergrund

Ruth Klügers Autobiografie *weiter leben* umfasst eine Zeitspanne von nahezu 50 Jahren. Beachtung finden nachstehend jedoch nur die Stationen aus den ersten beiden Teilen von *weiter leben* – Wien und die Lager –; die Nachkriegszeit und die Erzählgegenwart (1989/1990) werden ausgeblendet.

Wien

Ruth Klügers Wien, jener »Urschleim« (65,15 / 66,19), in dem sie heranwächst und den sie als nur feindlich, vor allem »judenkinderfeindlich« (76,7 / 68,11) empfindet, war eine Zeit lang *auch* eine im emphatischen Sinne jüdische Stadt: Seit dem Ende des 12. Jahrhunderts sind jüdische Ansiedlungen in der Hauptstadt Österreichs bzw. des Habsburger Reiches Österreich-Ungarn (bis 1918) verbürgt. Im 19. und beginnenden 20. Jahrhundert entwickelte sich Wien zu einem wahren Zentrum jüdischer Gelehrsamkeit und Literatur. Es gab eigene jüdische Vereine, Sportclubs und Tageszeitungen. Der zionistische Gedanke nahm von hier seinen Ausgang. Theodor Herzl (1860–1904, vgl. hier S. 55) wohnte und wirkte in dieser Stadt, Sigmund Freud (1856–1939, vgl. hier S. 15) entwickelte seine Theorien zur Psychoanalyse, und viele andere Juden und Konvertiten wie Arthur Schnitzler (1862–1931, vgl. hier S. 14), Gustav Mahler (1860–1911) oder Stefan Zweig (1881–1942, vgl. hier S. 14) bestimmten das kulturelle Leben Wiens. Vor allem in der Sozialdemokratischen Partei wirkten Juden mit (Otto Bauer, Hugo Breitner, Julius Tandler u. a.). Die jüdische Bevölkerung wuchs rasch, 1923 lebten über 200 000 Juden in Wien in der damit drittgrößten jüdischen Gemeinde in Europa. Gleichzeitig wuchs dort auch der Antisemitismus. Karl Lueger (1844–1910),

nach dem in Wien noch heute eine wichtige Ringstraße benannt ist, wurde als bekanntester Wiener Antisemit und Kopf der »Christlich Sozialen Partei« Bürgermeister. An seiner antisemitischen Politik, die für die Juden der Stadt zahllose Einschränkungen mit sich brachte, orientierte sich später auch Adolf Hitler.
Der »Anschluss« Österreichs an das Deutsche Reich 1938 wurde von den meisten Wienern enthusiastisch aufgenommen. Sofort nach der Annexion setzte in Wien die Judenverfolgung mit derselben Brutalität wie auch im »Dritten Reich« ein. Die Büros der Gemeinde und der zionistischen Organisation wurden geschlossen, die Vorstandsmitglieder in das Konzentrationslager Dachau deportiert. Jüdische Menschen wurden gezwungen, die Straßen Wiens zu schrubben und von politischen Parolen der Dollfuß-Bewegung (vgl. hier S. 27) zu reinigen. Die Reichspogromnacht vom 9. November 1938 bildete in dieser Hinsicht somit die Spitze des Eisbergs: In dieser Nacht wurden 49 Synagogen, chassidische Bethäuser und auch private Beträume zerstört und rund 3600 jüdische Bürger in die Konzentrationslager Dachau und Buchenwald verschleppt. Entlassen wurden in der Folge nur Menschen, die mit Hilfe eines Zertifikats beweisen konnten, dass sie bereits zur Emigration vorgesehen waren. Die Vertreibung wurde durch SS-Obersturmbannführer Adolf Eichmann (1906–62, vgl. hier S. 70, der die »Zentralstelle für Jüdische Auswanderung« leitete, organisiert. Mit dem Kriegsbeginn 1939 änderte sich das Ziel der antijüdischen Politik nicht nur in Wien: Es ging nicht mehr um Emigration, sondern um Deportation. Im September 1939 wurde die jüdische Gemeinde aufgefordert, alle jüdischen Einwohner in einer alphabetischen Liste zu erfassen. In der Folge wurden über 1000 polnische bzw. staatenlose Juden nach Buchenwald verschleppt, darunter über 120 Altenheimbewohner im Alter bis zu 85 Jahren.
Im Zuge des so genannten »Nisko-und-Lublin-Plans«, der

eine Ansiedlung der Juden aus dem deutschen Machtbereich im äußersten Osten des eroberten polnischen Gebietes bei Lublin vorsah, wurden im Oktober 1939 knapp 1600 jüdische Wiener Freiberufler getötet, von denen 196 ein Barackenlager errichten mussten, während der Rest ins russisch besetzte Gebiet getrieben wurde. Aufgrund der Westoffensive wurden die Deportationen dann bis 1941 unterbrochen und der »Nisko-Lublin-Plan« als undurchführbar fallen gelassen: Im Februar 1941 dann wurden 5000 Juden nach Kielce verschleppt. Weitere Deportationen folgten: Bis zum 5. Oktober 1942 waren 5000 Menschen nach Lodz verbracht worden, 5200 nach Riga, 6000 nach Izbica und 10 500 nach Minsk. An ihren »Bestimmungsorten« wurden sie in Sammellager bzw. Ghettos gepfercht. Wer dies überlebte, wurde im Rahmen der »Endlösung der Judenfrage« in Konzentrationslager verbracht und in der Regel dort getötet.
Die weitaus meisten Wiener Juden wurden jedoch zwischen dem 20. Juni und 9. Oktober 1942 in das Ghetto Theresienstadt verschleppt: 13 776 Menschen wurden deportiert, unter ihnen auch Ruth Klüger und ihre Mutter (beide kamen dort am 25. September 1942 an).

Theresienstadt

Der Habsburger Kaiser Joseph II. (1741–90) gründete Theresienstadt Ende des 18. Jahrhunderts als Garnisonsstadt im Nordwesten Böhmens (heute Tschechische Republik). Im Zweiten Weltkrieg machten sich die Nationalsozialisten die Befestigungsanlage zu Nutze und funktionierten die Stadt in ein Ghetto um, in dem sie im Laufe der Zeit 140 000 Juden vor allem aus Böhmen und Mähren zusammenpferchten. Die Aufsicht über das Ghetto hatten Behörden, die dem Reichssicherheitshauptamt (RSHA) unterstanden. Die SS übernahm die Verwaltung des Ghettos, das von tschechischen Gendarmen bewacht wurde. Kommandanten waren Siegfried Seidl (1911–47, von November 1941 bis Juli 1943), Anton Burger (1911–91, von Juli 1943 bis Februar 1944) und Karl Rahm (1907–47, von Februar 1944 bis Mai 1945). Seidl und Rahm wurden nach dem Krieg von einem österreichischen und einem tschechoslowakischen Gericht zum Tode verurteilt und gehängt. Burger entkam; er wurde in Abwesenheit zum Tode verurteilt und lebte bis zu seinem Tod im Jahre 1991 unter dem Namen Wilhelm Bauer in Essen.

Im Sommer 1942 kamen Tausende Juden aus Deutschland und Österreich ins Ghetto. Im September 1942 erreichte die Einwohnerzahl schließlich ihren höchsten Stand: 53 000 Menschen wurden auf einer Fläche von 115 000 m^2 gefangen gehalten. Das ständige Kommen und Gehen im Lager mag die folgende Zahl illustrieren: Während im September 1942 18 639 Personen nach Theresienstadt deportiert wurden, wurden im gleichen Zeitraum 13 004 in Todeslager im Osten verschleppt und getötet. Hinzu kamen 3941 Personen, die in denselben vier Wochen im Ghetto starben.

Die innere Verwaltung des Ghettos wurde durch einen »Ältestenrat« übernommen, an dessen Spitze zunächst Jakob Edelstein (1903–44) und später der Soziologe Paul Eppstein (1901–44) bzw. der Rabbiner Benjamin Murmelstein (1905–89) standen. Dem Rat gehörte der äußerst bekannte Rabbiner Leo Baeck (1873–1956) an, den auch Klüger erwähnt (vgl. hier S. 59).

Eine Besonderheit im Theresienstädter Ghetto waren die vielfältigen kulturellen Aktivitäten. Heimlich wurde Schulunterricht erteilt. Es gab mehrere Orchester, eine eigene Oper, eine Theatertruppe und mehrere Kabaretts. Diese Struktur wurde von der NS-Führung genutzt. Ende 1943 wurde beschlossen, »einer Delegation des Internationalen Roten Kreuzes den Besuch Theresienstadts zu erlauben. In Vorbereitung auf diesen Besuch wurden mehr

Häftlinge nach Auschwitz deportiert, um die Überbelegung des Ghettos zu reduzieren. Scheinläden wurden eingerichtet, desgleichen ein Café, eine Bank, Kindergärten, eine Schule, sogar Blumengärten« (*Enzyklopädie des Holocaust*, S. 1406). Das Rote Kreuz besuchte das Lager am 23. Juli 1944:

»Die Begegnungen der Mitglieder des Komitees mit den Häftlingen waren bis ins kleinste Detail geprobt worden. Im ›Anschluß‹ an die ›Inspektion‹ drehten die Nationalsozialisten einen Propagandafilm (›Der Führer schenkt den Juden eine Stadt‹), der das Leben der Juden ›unter dem wohltätigen Schutz‹ des ›Dritten Reichs‹ vorführte. Nach Fertigstellung des Films wurden die meisten seiner ›Darsteller‹, einschließlich der ghettointernen Führungsgruppe und fast aller Kinder nach Auschwitz deportiert und in den Gaskammern ermordet.«

Enzyklopädie des Holocaust. Die Verfolgung und Ermordung der europäischen Juden. Hrsg. von Israel Gutman [u. a.]. Bd. 3. Berlin: Argon, 1993. S. 1406. – © 1993 Sifriat Poalim Publishing House LTD, Tel Aviv (Israel).

In den letzten Monaten seiner Existenz wurde Theresienstadt auch Auffanglager für verschiedene Todesmärsche, die aus evakuierten Konzentrationslagern eintrafen. Insgesamt starben in Theresienstadt von den 140 000 dorthin deportierten Menschen rund 33 000 im Ghetto, rund 88 000 wurden in Vernichtungslager verschleppt und dort meist getötet; nur etwas mehr als 3000 von ihnen überlebten die Vernichtungsstätten. 19 000 Häftlinge waren noch am Leben, als das Ghetto befreit wurde: Die meisten von ihnen lebten in Theresienstadt selbst, andere gehörten zu zwei Gruppen, die das Rote Kreuz noch vor Kriegsende hatte auslösen und in neutrale Länder bringen können.

Auschwitz

Als Ruth Klüger und ihre Mutter nach Auschwitz deportiert wurden (Tag der Deportation von Theresienstadt: 16. Mai 1944), war das Lager bereits die größte Vernichtungsstätte geworden, unterteilt in drei große Abschnitte und umgeben von einem rund 40 km² großen Sperrgebiet. Transporte aus Theresienstadt trafen seit dem 28. Oktober 1942 hier ein; die meisten Menschen, die so nach Auschwitz gekommen waren, wurden sofort in den Gaskammern getötet. Nur ein geringer Teil wurde zunächst ins Lager »selektiert«. Theresienstädter Juden dienten den Nazis auch zu perfiden Täuschungsmanövern: Am 5. März 1944 verteilte die SS Postkarten an die am 8. September 1943 nach Auschwitz deportierten und ins Familienlager eingewiesenen Juden und forderte sie auf, die Karten mit Daten vom 25. bis zum 27. März zu versehen. Die Karten sollten an Verwandte gerichtet werden, denen mitzuteilen war, dass es den betreffenden Personen gut ginge und sie gesund seien. Daraufhin wurden die Schriftstücke eingesammelt und von der SS am 25. März versandt. Am 8./9. März wurden die Menschen unter dem Vorwand, sie würden in ein KZ im Reichsinneren verlegt, in die Gaskammern transportiert und dort getötet. Ruth Klüger gehörte zu den wenigen Personen aus Theresienstadt, die aus Auschwitz weiter deportiert wurden. Die Liste des betreffenden Transports nach Groß-Rosen (14. Juni 1944) ist im Archiv der Gedenkstätte Auschwitz noch erhalten. An Position 1065 und 1066 werden Ruth Klüger und ihre Mutter aufgeführt.

Reichsführer-SS Heinrich Himmler hatte am 27. April 1940 die Errichtung eines Konzentrationslagers in Auschwitz (poln. Oświęcim) befohlen. Die Stadt war als Teil Oberschlesiens in das Reich eingegliedert worden. In der Kaserne des Ortes mussten 300 Juden aus Auschwitz und Umgebung das Lager errichten: In der ersten Zeit diente es

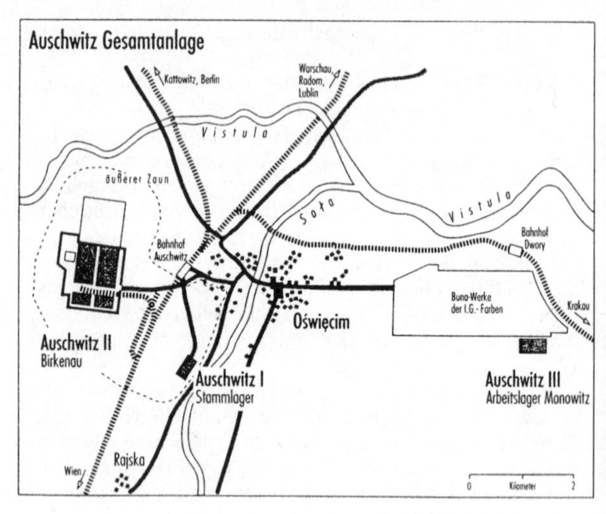

Karte der Gesamtanlage des KZs Auschwitz

vor allem als Internierungsstätte für polnische politische Gefangene. Die ersten Transporte trafen ab Juni 1940 ein, bis zum März 1941 waren bereits über 10000 Häftlinge in Auschwitz registriert. Wenngleich es zu Beginn noch keinen organisierten Massenmord bis auf die Erschießungen vor der »Schwarzen Wand« gab, sorgten allein die Verhältnisse dafür, dass zahlreiche Häftlinge schon kurz nach ihrer Einweisung ins Lager starben. Zum Unterdrückungssystem gehörten auch die durch die Deutschen ernannten Kapos, Häftlinge, die andere Gefangene beaufsichtigen und auch bestrafen sollten. Um unter den Inhaftierten keine Solidarität aufkommen zu lassen, schaffte die SS zu diesem Zweck eigens deutsche Schwerkriminelle heran.

Das Lagertor trug die Aufschrift »Arbeit macht frei« (s. Abb. S. 65).
Im März 1941 befahl Himmler die Errichtung eines zweiten Lagerkomplexes (Auschwitz II-Birkenau), etwa drei Kilometer vom Stammlager (später »Auschwitz I« genannt) entfernt: Es sollte zunächst zur Internierung russischer Kriegsgefangener dienen. Noch ein weiteres Lager folgte: »Auschwitz III-Monowitz« (zu dem später auch eine Reihe von Nebenlagern gehörte). Dieses Lager war auf dem Gelände einer im Bau befindlichen Chemie-Fabrik der IG Farben untergebracht. Bei den Bauarbeiten für diese Anlage starben viele Häftlinge.
Die ersten Massenmorde mit Gas fanden im September 1941 noch im Stammlager statt: Nachdem einige Tage zuvor der Versuch ›geglückt‹ war, eine kleine Gruppe russischer Kriegsgefangener mit Zyklon B zu vergasen, beschloss die Lagerleitung, das Experiment im Kellergeschoss von Block 11 – dem Strafblock – zu wiederholen. Im Häftlingskrankenbau wurde zu diesem Zweck eine Selektion durchgeführt, bei der etwa 250 Inhaftierte ausgesondert wurden. Nachdem die Kellerfenster mit Erde abgedichtet worden waren, wurden neben den kranken Häftlingen auch 600 russische Kriegsgefangene in den Keller gebracht. Nachdem am nächsten Morgen festgestellt wurde, dass einige der Gefangenen noch lebten, wurde noch einmal Zyklon B ausgebracht. Das Experiment stand in engem Zusammenhang mit einem Gespräch, das der erste Kommandant von Auschwitz, Rudolf Höß (1900–1947), im Sommer 1941 – so seine eigene Aussage – mit Himmler führte und in dem er den Auftrag erhielt, in Auschwitz die »Endlösung der Judenfrage« vorzubereiten, die von Hitler nunmehr endgültig angeordnet worden sei. Noch vor der Wannsee-Konferenz in Berlin (20. Januar 1942), auf der der Ablauf der Aktion besprochen wurde, wurde in Auschwitz weiter mit Gas gemordet. Ab dem 20. März 1942 wurde auch in Auschwitz II-Birkenau Gas

eingesetzt: In der Folge entwickelten die Deutschen Birkenau zur größten Vernichtungsstätte. Nach der Selektion wurden die ausgemusterten Neuankömmlinge sofort vergast:

»Die in den Wagen zurückgelassenen Habseligkeiten der Opfer wurden von einem Zwangsarbeitskommando eingesammelt, das unter dem Namen ›Kanada‹ bekannt war (es trug diesen Namen, weil Kanada für die Gefangenen ein Symbol des Reichtums war). Unter strenger Aufsicht der SS mußten diese Gefangenen das Beutegut in zu diesem Zweck angelegte Lagerhäuser bringen. Später wurde es nach Deutschland überführt.
Wer nicht sofort in die Gaskammern geschickt wurde, kam in den Teil des Lagers, der als ›Quarantäne‹ bekannt war. Zuerst jedoch wurden sie in das Bad des Lagers gebracht, die ›Sauna‹. Dort wurden ihnen ihre Kleider und letzten Habseligkeiten abgenommen, Männern und Frauen wurden gleichermaßen die Haare geschoren, und sie erhielten gestreifte Gefangenenkleidung.
In der ›Quarantäne‹ konnte ein Gefangener, wenn er nicht bald zur Zwangsarbeit eingeteilt wurde, nur wenige Wochen überleben; in den Zwangsarbeitslagern verlängerte sich die durchschnittliche Lebenserwartung um einige Monate.«
Man versuchte, schnell aus der Quarantäne herauszukommen.
»Nachdem sie die ›Quarantäne‹ in Birkenau für die Zwangsarbeit in Auschwitz oder einem der Nebenlager verließen, wurden die Gefangenen registriert und erhielten auf dem linken Arm Zahlen eintätowiert. Die gleiche Vorgehensweise galt für Gefangene, die direkt nach Auschwitz I geschickt wurden; 405 000 Häftlinge verschiedener Nationalitäten wurden auf diese Weise registriert. Die übergroße Mehrheit der Opfer von Auschwitz, die Männer und Frauen, die sofort nach ihrer Ankunft in Auschwitz II

in den Gaskammern getötet wurden, wurde nicht einzeln registriert.«

Ebd. Bd. 1. Berlin: Argon, 1993. S. 111, 115. –

Man schätzt, dass allein in Auschwitz zwischen 1,2 und 1,6 Millionen Menschen getötet wurden; nur 65 000 der registrierten Häftlinge haben überlebt. Zur ständigen Bedrohung durch die Selektionen kamen im Lager die hygienischen Zustände, harte Arbeit und Unterernährung. Medizinische Experimente – ausgeführt auch und gerade an Kindern – forderten ebenso zahlreiche Todesopfer. Widerstand war im Lager kaum möglich – obgleich er versucht wurde. Neben einzelnen, nur selten glücklich verlaufenen Fluchtversuchen fand die größte Widerstandsaktion am 7. Oktober 1944 statt: Häftlinge des Sonderkommandos, die von ihrer bevorstehenden Vergasung erfahren hatten, sprengten eine Gaskammer. Alle Widerständler starben im Gefecht; die Frauen, die den Männern das Sprengmaterial besorgt hatten, wurden hingerichtet. Die Hoffnung der Inhaftierten, dass die Alliierten durch Bombardierung wenigstens der Gaskammern oder der Gleise nach Birkenau das Morden in Auschwitz stoppen würden, erfüllte sich nicht.

Nach dem Aufstand des Sonderkommandos endeten die Massenmorde in Auschwitz. Heinrich Himmler (1900–45, vgl. hier S. 28) ordnete an, die Krematorien abzureißen, um die Spuren des Verbrechens zu beseitigen. Die näher rückende Front hatte die SS veranlasst, Vorkehrungen für die inzwischen unabwendbare Niederlage zu treffen. Freilich entließen sie die verbliebenen Gefangenen nicht in die Freiheit. 58 000 Gefangene wurden aus den Lagern auf Todesmärsche geschickt. Am 27. Januar 1945 erreichte die Rote Armee Auschwitz.

»In Birkenau fanden sie die Leichen von 600 Gefangenen, die nur Stunden vor der Befreiung des Lagers getötet worden waren. 7650 kranke und erschöpfte Gefangene wurden jedoch gerettet: 1200 in Auschwitz I, 5800 in Auschwitz II Birkenau und 650 in Auschwitz III–Buna Monowitz. [...]. In den Lagerhäusern fanden die Sowjets 350 000 Männeranzüge, 837 000 Frauenkleider und große Mengen an Kinder- und Babykleidung. Zusätzlich fanden sie Zehntausende Paar Schuhe und 7,7 Tonnen menschliches Haar in Papiertüten, fertig für den Transport verpackt.«

Ebd. S. 119. – © 1993 Sifriat Poalim Publishing House LTD, Tel Aviv (Israel).

Die juristische Aufarbeitung der Verbrechen von Auschwitz verlief schleppend oder gar nicht:

»Der frühere Lagerkommandant Rudolf Höss wurde im März 1947 in Auschwitz vor das Oberste Nationalgericht gestellt und am 2. April 1947 zum Tode verurteilt. [...] Im November und Dezember 1947 fand in Krakau vor einem polnischen Gericht ein weiteres Verfahren statt. 23 der 40 angeklagten Deutschen aus Auschwitz wurden zum Tode verurteilt, 16 zu Gefängnisstrafen. Zwischen 1963 und 1966 fanden in Frankfurt am Main die sogenannten Verfahren Auschwitz I, II und III statt. Diese endeten mit Gefängnisstrafen für die 22 Angeklagten. Neun wurden zu lebenslänglicher Haft verurteilt, die anderen zu Strafen zwischen drei und neun Jahren.«

Ebd. S. 120. – © 1993 Sifriat Poalim Publishing House LTD, Tel Aviv (Israel).

Rund 6000 SS-Angehörige waren in Auschwitz eingesetzt worden.

Groß-Rosen

Das Konzentrationslager Groß-Rosen, in das Ruth Klüger von Auschwitz aus im Juni 1944 deportiert wurde, war im August 1940 zunächst als Nebenlager des Konzentrationslagers Sachsenhausen bei Berlin eingerichtet worden. Die Häftlinge sollten vor allem im nahe gelegenen Granitsteinbruch arbeiten, der einer SS-Firma gehörte. Der erste Häftlingstransport erreichte Groß-Rosen am 2. August 1940. Am 1. Mai 1941 bekam das Arbeitslager Groß-Rosen den Status eines eigenständigen Konzentrationslagers. In den ersten zwei Jahren seines Bestehens war das KZ ein eher kleines Lager, das die Häftlinge hauptsächlich durch den Arbeitseinsatz im Steinbruch umbringen sollte. 12 Stunden arbeiteten die Gefangenen täglich, hinzu kamen die Misshandlungen durch die SS und die Funktionshäftlinge (Kapos).

1944 wurde das Lager stark vergrößert, im gleichen Jahr änderte sich auch sein Charakter wesentlich: Neben dem Stammlager in Groß-Rosen wurden rund 100 Nebenlager hauptsächlich auf dem Gebiet Niederschlesiens, dem Sudetenland und dem Mittelodergebiet in aller Eile eingerichtet. Die größten Nebenlager befanden sich in Breslau, Fünfteichen, Dyhernfurth und Landshut. Hinzu kam ein Komplex von Nebenlagern, der im Eulengebirge eingerichtet wurde (Riese). Die dort inhaftierten rund 13 000 Männer (vorwiegend Ungarn) wurden von April bis Juni 1944 als »Arbeitskraftreserve« für den Bau von Hitlers unterirdischem Kommandobunker eingesetzt. Christianstadt, das Außenlager, in das Ruth Klüger verschleppt wurde, lag relativ weit vom eigentlichen Stammlager entfernt in der Nähe von Grünberg (Zielona Góra). Es wurde erst im Juni 1944 eingerichtet.

Durch Groß-Rosen und seine Nebenlager wurden ungefähr 125 000 Häftlinge geschleust, unter ihnen auch unregistrierte (z. B. 2500 sowjetische Kriegsgefangene). Rund

40 000 Menschen wurden in Groß-Rosen getötet. Vor allem Juden (Staatsbürger verschiedener europäischer Länder), Polen und Sowjetbürger bildeten den Hauptanteil unter den Inhaftierten. Viele Inhaftierte aus dem KZ Groß-Rosen und den Nebenlagern wurden ab Februar 1945 auf Todesmärsche geschickt.

»Etwa die Hälfte der jüdischen Gefangenen in den Nebenstellen wurde bei der Räumung zurückgelassen. Sie wurden am 8. und 9. Mai 1945 von sowjetischen Truppen befreit. 20 der Frauen-Nebenlager wurden befreit, in 13 von ihnen überlebten 9000 Frauen. In Langenbielau überlebten rund 1400 Juden, in Brünnlitz 800 und in Waldenburg 600. Selbst diese unvollständigen Angaben verdeutlichen; daß ein großer Teil der Gefangenen den Sturz des NS-Regimes erlebte. Nach der Befreiung der Nebenlager bildeten sich überall jüdische Komitees, die sich um die Gefangenen kümmerten, vor allem um die vielen Kranken. Sie beschafften Lebensmittel und Kleidung und verhalfen den ehemaligen Häftlingen zur Rückkehr in ihre Herkunftsländer.
Eine große Zahl ehemaliger Gefangener aus Groß-Rosen sammelte sich in Reichenbach (Dzierżoniów), am 17. Juni 1945 trafen sich dort Vertreter der jüdischen Gemeinden aus sechs niederschlesischen Städten und bildeten ein Distriktkomitee polnischer Juden. Ihr Ziel war, die Maßnahmen zugunsten der überlebenden jüdischen Bevölkerung unter den neuen sozialen und politischen Bedingungen zu koordinieren.«

Ebd. S. 572. –

Die Kommandanten von Groß-Rosen waren SS-Standartenführer Arthur Rödl (1898–1945, Mai 1941 – September 1942), SS-Obersturmführer Wilhelm Gideon (1898 – ?, bis Oktober 1943) und SS-Sturmbannführer Johann Hasse-

Ein erschütterndes Dokument:

Ein Kind schrieb aus Auschwitz . . .

Der Brief eines kleinen Mädchens an den „Bayrischen Tag" — Das Gedicht vom „Kamin" — Ghetto, Auschwitz, Arbeitslager

Ein besonders erschütterndes Dokument ist der Schriftleitung des „Bayrischen Tag" zugeschickt worden. Es handelt sich um die Dichtungen eines kleinen Mädchens von noch nicht vierzehn Jahren. Dieses Mädchen — Ruth Klueger aus Straubing bei München, geboren am 30. 10. 1931 in Deutschland — ist eines jener zahlreichen jüdischen Kinder, die im Dritten Reich in ein Konzentrationslager verschleppt worden sind, um dort entweder langsam zu verhungern oder mit ihren Eltern zu-phen eignen sich nicht zur Veröffentlichung, denn sie eröffnen das ganze unbeschreibliche Elend, in das die Seele eines Kindes gestoßen wurde. Aus der bedrängten Brust schreit das Kind die Worte:

„Fressen unsere Leichen Raben?,
Müssen wir vernichtet sein?
— Sag, wo werd ich einst begraben —
Herr, ich will nur Freiheit haben,
Und der Heimat Sonnenschein."

Freiheit kam für die noch nicht Vierzehnjährige zum erstenmal, als alliierte Truppen sich dem Ort näherten, in dem sich das Kind mit seiner Mutter und Pflegeschwester versteckt hielt. Diese Freiheit freilich kann nicht gutmachen, was hier an einem Kind verbrochen wurde — an einem Kind, das noch entkam, während so viele den Tod fanden. Die Gedichte aber, die das Mädchen Ruth Klueger schrieb, nehmen ihren Platz ein neben den anderen Dokumenten des dunkelsten Mittelalters, das sich zwölf Jahre hindurch über Deutschland und Europa ausgebreitet hatte.

Ich bin jetzt 13½ Jahre alt, habe aber schon mehr erlebt als andere mit 50. 18 Monate Ghetto, 6 Wochen Auschwitz, 6 Monate Arbeitslager und eine 3monatige Flucht mit meiner Mutter und Pflegeschwester habe ich hinter mir. In Auschwitz (1944) schrieb ich folgende beiden Gedichte:

Auschwitz

broek. Hassebroek wurde 1948 von einem britischen Militärgericht zunächst zum Tode, dann zu lebenslanger Haft verurteilt, aber bereits 1954 entlassen. In einem weiteren Verfahren wurde er 1970 in Hannover freigesprochen. Gideon wurde nicht vor Gericht gestellt, die Ermittlungen gegen ihn wurden 1962 in Hannover eingestellt. Rödl brachte sich im April 1945 um.

Literaturhinweise und Links zum historischen Hintergrund

Michaele Feurstein / Gerhard Milchram: Jüdisches Wien. Stadtspaziergänge. Wien/Köln 2001.

Wacław Długoborski / Franciszek Piper (Hrsg.): Auschwitz 1940–1945. Studien zur Geschichte des Konzentrations- und Vernichtungslagers Auschwitz. 5 Bde. Oświęcim 1999.

Eric Friedler / Barbara Siebert / Andreas Kilian: Zeugen aus der Todeszone. Das jüdische Sonderkommando in Auschwitz. Lüneburg 2002.

Hermann Langbein: Menschen in Auschwitz. München 1995.

http://www.wien-vienna.at
http://www.auschwitz.org.pl
http://www.gross-rosen.pl

III. Entstehung

Der folgende Text stammt aus der Zeitung *Bayrischer Tag* vom 23. Juni 1945. Der *Bayrische Tag* war ein »Amtliches Nachrichtenblatt für die Zivilbevölkerung«, wie der Untertitel lautete, und wurde herausgegeben von der 12. Amerikanischen Heeresgruppe. Ruth Klüger widmet der Entstehung und der Wirkung des nachfolgenden Artikels in *weiter leben* breiten Raum (S. 196–199 / 199–210). Ein gleich lautender Artikel erschien am selben Tag in der – ebenfalls von der 12. Amerikanischen Heeresgruppe herausgegebenen – *Hessischen Post* (S. 2).
Eine Zeichnung erschien als Illustration zu dem Artikel; ihre Herkunft bzw. ihr Autor sind unbekannt. Ein stilisierter Briefausriss ist unter Verwendung von Ruth Klügers Originalbrief hergestellt worden und war dem Zeitungstext ebenso beigegeben (vgl. nachstehende Reproduktion des Artikels).

Ein erschütterndes Dokument:
Ein Kind schrieb aus Auschwitz …
Der Brief eines kleinen Mädchens an den *Bayrischen Tag*
– Das Gedicht vom »Kamin« –
Ghetto, Auschwitz, Arbeitslager

»Ein besonders erschütterndes Dokument ist der Schriftleitung des *Bayrischen Tag* zugeschickt worden. Es handelt sich um die Dichtungen eines kleinen Mädchens von noch nicht vierzehn Jahren. Dieses Mädchen – Ruth Klueger aus Straubing bei München, geboren am 30. 10. 1931 in Deutschland – ist eines jener zahlreichen jüdischen Kinder, die im Dritten Reich in ein Konzentrationslager verschleppt worden sind, um dort entweder langsam zu verhungern oder mit ihren Eltern zusammen verbrannt oder vergast zu werden. Die dreizehnjährige Ruth gelangte

in das Vernichtungslager Auschwitz. Die einzige Schu
des Kindes war, daß es von jüdischen Eltern gebor
wurde.
Das Mädchen sendet uns einige Gedichte, die es in Ausc
witz geschrieben hat. Deutlicher als alle Dokumente, U
tersuchungsergebnisse und Kommissionsberichte klag
diese Gedichte an, die sich ein Kind in jener Hölle v
Auschwitz abrang, in der täglich Hunderte starben u
in der die Luft Tag und Nacht voll war von dem Geru
verbrannten menschlichen Fleisches. ›Meiner Freund
Hanna Ungar‹ – wahrscheinlich einem der verbrannt
Kinder – widmet Ruth ein Gedicht mit dem Titel ›Der K
min‹, das 1944 in Auschwitz auf ein winziges Stückch
Papier geschrieben wurde und das lautet:

Täglich hinter den Baracken
Sehe ich Rauch und Feuer stehn,
Jude, beuge Deinen Nacken,
Keiner hier kann dem entgehn.
Siehst Du in dem Rauche nicht
Ein verzerrtes Angesicht?
Ruft er nicht voll Spott und Hohn:
Fünf Millionen berg' ich schon.
Auschwitz liegt in meiner Hand,
alles, alles wird verbrannt.

Täglich hinterm Stacheldraht
Steigt die Sonne purpurn auf.
Doch ihr Licht wirkt öd und fad,
Bricht die andere Flamme auf.
Denn das warme Lebenslicht
gilt in Auschwitz längst schon nicht.
Blick zur roten Flamme hin,
Einzig wahr ist der Kamin.
Auschwitz liegt in seiner Hand –
alles, alles wird verbrannt.

Ein anderes, nicht minder erschütternd, führt den Titel: ›Auschwitz‹. Einzelne Strophen eignen sich nicht zur Veröffentlichung, denn sie eröffnen das ganze unbeschreibliche Elend, in das die Seele eines Kindes gestoßen wurde. Aus der bedrängten Brust schreit das Kind die Worte:

Fressen unsere Leichen Raben?,
Müssen wir vernichtet sein?
– Sag, wo werd ich einst begraben –
Herr, ich will nur Freiheit haben,
Und der Heimat Sonnenschein.

Freiheit kam für die noch nicht Vierzehnjährige zum erstenmal, als alliierte Truppen sich dem Ort näherten, in dem sich das Kind mit seiner Mutter und Pflegeschwester versteckt hielt. Diese Freiheit freilich kann nicht gutmachen, was hier an einem Kind verbrochen wurde – an einem Kind, das noch entkam, während so viele den Tod fanden. Die Gedichte aber, die das Mädchen Ruth Klueger schrieb, nehmen ihren Platz ein neben den anderen Dokumenten des dunkelsten Mittelalters, das sich zwölf Jahre hindurch über Deutschland und Europa ausgebreitet hatte.«

Ein erschütterndes Dokument: Ein Kind schrieb aus Auschwitz [...]. In: Bayrischer Tag. 23. Juni 1945. S. 2. – Mit Genehmigung von Ruth Klüger, Göttingen.

Das folgende Gespräch zwischen RUTH KLÜGER und KLAUS NAUMANN wurde 1993 geführt und in der Zeitschrift *mittelweg 36* (Heft Dezember 1993 / Januar 1994), der Hauszeitschrift von Jan Philipp Reemtsmas »Hamburger Institut für Sozialforschung«, unter dem Titel »Ich komm nicht von Auschwitz her, ich stamm aus Wien« ver-

---

Reproduktion des Artikels im *Bayrischen Tag*, 23. Juni 1945

öffentlicht. Es untersucht die Entstehungsbedingungen von Klügers Werk, seine Voraussetzungen und Folgen:

»Knapp fünfzig Jahre ›danach‹ haben Sie ein Buch geschrieben, das von den Lebens-Stationen Wien, Auschwitz, Christianstadt, Bayern, New York … handelt. Sie sagen, ein Unfall in Göttingen im Herbst 1988 sei auslösend gewesen. Das war der Anlaß, aber wie kommt man dahin zu erinnern, wie kommt man dahin zu schreiben und wie formt man Erinnerungen?

Wie kommt man dazu, sich zu erinnern? Das fängt mit dem Erlebten an. Das Erlebte war so außergewöhnlich, daß spätestens in Auschwitz die Hoffnung zu überleben damit verbunden war, darüber etwas aussagen zu können. Das Bewußtsein, Zeuge gewesen zu sein, war sehr stark bei sehr vielen, und ich habe mir schon damals vorgestellt, einmal werde ich darüber schreiben. Dann bin ich aus dem KZ herausgekommen, ich habe auch noch so ein bißchen dahergekritzelt, ein paar Gedichte geschrieben, die sogar veröffentlicht wurden. Und dann wollte man vergessen. Vergessen nicht im eigentlichen Sinne, aber nicht gefangenbleiben in den alten Gefängnissen. Ich habe dann ganz andere Sachen gemacht und Anglistik studiert. Mit Vergnügen und viel Verständnis habe ich gelesen, daß Elie Wiesel[1] sich auf die französischen Klassiker, also die Dramatiker des 17. Jahrhunderts gestürzt hat.

Wir wollten alle etwas anderes machen. Dann kamen, nach und nach, mehr und mehr Bücher über die KZs heraus. Manche von ihnen waren sehr gut, und ich dachte, da ist eigentlich für mich nichts übrig. Ich bin ein Kind gewesen, ich habe nicht so viel gesehen wie die Erwachsenen, und tiefsinnigere Gedanken haben sich auch viele Leute über diese Dinge gemacht. Erst nach diesem Unfall, den Sie er-

1 Elie Wiesel (geb. 1928) überlebte wie Ruth Klüger Auschwitz. Sein 1958 publizierter Erinnerungsbericht *Die Nacht* gehört zu den bedeutendsten Werken der Holocaust-Literatur. 1986 bekam er den Friedensnobelpreis.

Porträtbild Ruth Klügers

wähnten, und auch schon vorher durch Gespräche mit Deutschen, die ich in Göttingen kennenlernte, kam mir das Bedürfnis, es zu versuchen. Eben zu dieser Zeit ging mir auf, daß nicht genug mit der Vergangenheitsbewältigung gemacht worden ist. Diese Vergangenheitsbewältigung hat ja jetzt auch schon eine Geschichte. So kam ich dann auf diese Methode, das Erinnerte zu retardieren, also die Erzählung zu retardieren bzw. das Erinnerte zu durchsetzen mit Reflexionen und mit Gegenwartsbezügen. Und da fand ich dann, daß ich einen Beitrag zu liefern hätte.

Haben Sie dafür Orientierungspunkte in der Literatur?

Vorbilder kann man nicht sagen, aber es gab Bücher, die mich inspiriert haben. Das war einerseits Christa Wolfs ›Kindheitsmuster‹. Das ist ein Buch, das ich neben Günther Grass' ›Blechtrommel‹ für das einzige halte – das ist jetzt übertrieben –, das sich nüchtern und genau mit der Kindheit im Nazistaat auseinandersetzt. Diese Gestalt des Kindes hat mich interessiert, das sich seine Vorstellungen von der Welt erst zurechtbasteln muß. Das war das eine Buch. Das andere war Cordelia Edwardsons ›Gebranntes Kind sucht das Feuer‹[2], und dieses Buch hat ja einiges gemeinsam mit meinem. Das Offensichtlichste sind die Erfahrungen selbst. Sie war in Theresienstadt und Auschwitz und dann in einem weiteren Lager. Methodisch interessant für mich war, daß Edwardson die Gedächtnislücken an sich thematisiert. Sie erinnert sich nicht an alles, sie hat vieles verdrängt. Sie schreibt darüber und baut diese Lücken in das Erinnerte ein. Da wurde mir ganz deutlich, daß man nicht linear schreiben muß und daß man sogar die Gründe, dies nicht zu tun, mit einbauen kann. Das letzte Buch, ich glaube es war wirklich das letzte Buch, das ich gelesen habe, bevor ich diesen Unfall hatte, war Thomas Bernhards ›Ursache‹.

2 Cordelia Edwardson (geb. 1929) wurde 1943 aus Berlin in die erwähnten Lager verschleppt. Für ihr Werk *Gebranntes Kind sucht das Feuer* (1984) erhielt sie 1986 den Geschwister-Scholl-Preis. Sie lebt in Israel.

Und noch ein Satz zur Erinnerung. Es ist ja so, daß wir die Vergangenheit überhaupt nicht haben im Sinne von: in den Händen halten, außer in der Erinnerung. Wir haben ja im Grunde nichts als die Erinnerung.

Hat die veränderte Situation des Erzählers auch mit der Veränderung seines Publikums zu tun? Für wen ist Ihr Buch geschrieben?

Das ist ein Motiv, das sich durch das ganze Buch zieht – für wen schreibe ich? Übrigens kommt das implizit an dieser Stelle zum Ausdruck, die die männlichen Leser immer so aufregt: Ich setzte voraus, daß ich vor allem mit Leserinnen zu tun haben würde. Das ist so ein Satz, den ich immer um die Ohren gehauen kriege. Aber eigentlich ist es ein Teil dieser Fragestellung. Wenn man als Frau schreibt, ist es klar, daß auch dieser Teil der Frage im Bewußtsein ist.

Ich habe das Buch auf deutsch geschrieben. Das war eine bewußte Wahl, denn ich hätte auch auf englisch schreiben können. Dann hätte ich aber für ein ganz anderes Publikum geschrieben. Ich schrieb es tatsächlich als Auseinandersetzung mit Deutschen. Das Manuskript habe ich herumgereicht in einer kleinen Gruppe von geduldigen Lesern. Die kamen dann mit allen möglichen Einwänden und dachten offensichtlich, ich würde die Stellen entweder ändern oder ihre Einwände beiseite legen. Das habe ich nicht getan. Statt dessen habe ich ihre Einwände so eingebaut, daß sich eine Art von Gespräch ergibt. Ein Kritiker sagte, diese Einwände seien sicher erfunden, aber das ist nicht der Fall, nicht einer ist erfunden. Alle diese Gespräche haben wirklich stattgefunden.

Es gibt einen Satz in diesem Buch, der für Ihre persönliche wie für die Erzählperspektive charakteristisch ist: ›Ich komm nicht von Auschwitz her, ich stamm aus Wien.‹

Es geht darum, daß Menschen, die etwas von mir wissen, mich gern so definieren: Das ist eine, die in Auschwitz gewesen ist. Da entwickelt sich, je mehr Zeit vergeht desto mehr, eine Aura. Ich wehre mich einfach dagegen, daß dieser eine von mir nicht gewollte Zustand etwas Wesentliches in mir beschreiben soll. Das dauerte eigentlich einen Sommer lang, wenn man Auschwitz biographisch genau nimmt und nicht als Kürzel für Massenmord. Das war ein einschlägiges Erlebnis, wenn Sie wollen, aber weiß Gott nicht das einzige. Man könnte genausogut sagen, die hat Kinder gehabt. Ja, ich habe zwei Kinder, ich bin eine Mutter. Aber auch das beschreibt mich nicht ganz. – Und Wien? Wien ist nun tatsächlich ausschlaggebend für mich. Daher kommen meine ersten Eindrücke. Elf Jahre habe ich dort gelebt, und vor allem habe ich eben dort sprechen und lesen gelernt, und das prägt einen für immer.

Und doch sagen Sie: ›Wien ist die Stadt, aus der mir die Flucht nicht gelang‹.

Ja, ich hasse Wien. Im Grunde hasse ich Wien. Aber ich bin auch dort zu Hause. Wenn ich dort hinkomme, sprechen die Leute so, wie ich spreche.

Es gibt eine Tradition des Mißtrauens gegen den literarischen Umgang mit dem Massenmord. Sie haben die literarische Form gewählt. Wie begegnen Sie solchen Einwänden?

Literatur ist eine Form von Interpretation. Der Historiker interpretiert auch, sogar der Photograph interpretiert, daß der Maler interpretiert, wissen wir. Der Soziologe interpretiert mit Gewißheit, und ganz abgesehen davon sind auch die Übergänge zwischen Geschichte und Literatur fließend. Das wäre meine prinzipielle Entgegnung.

Ich glaube, die Abwehr gegen die Ästhetisierung des Holocaust beruht im Grunde auf der Furcht vor Verkitschung, und die ist natürlich gerechtfertigt. Kitsch und Holocaust, das ist besonders unangenehm. Auch sonst ist Kitsch unangenehm, aber in diesem Fall besonders. Sich dagegen zu verwahren, ist richtig. Man muß aber gleich hinzufügen, daß die erfolgreichsten ästhetischen Bearbeitungen des Holocaust Kitsch waren, zum Beispiel die

Fernsehserie ›Holocaust‹. Das ist ein Problem. Aber wenn man überhaupt keine Literatur über die Schoa haben will, dann verurteilt man diese Vergangenheit zu einer neuen Ghettoisierung. Meine ganz persönliche Reaktion auf solche Einwände: Ihr alle dürft über eure Kindheit reden, aber mir verbietet ihr, über meine zu reden.

Reden und Zuhören, Zuhören können, sind nicht zu trennen. Sie sprechen selbst von Ihren Erfahrungen als von Erfahrungen, die mundtot machen, von Erfahrungen, bei denen die anderen, ganz banal gesagt, nicht mitreden können …

… und das dann auch dem Sprecher übelnehmen, als hätte der Sprecher nichts anderes gewollt, als die anderen zum Schweigen zu bringen.

Dahinter verbirgt sich ein grundlegendes Dilemma. In Ihrem Buch habe ich dafür eine Reihe von Schlüsselworten gefunden, mit denen Sie bestimmte Grunderfahrungen des Schreibens und des Mitteilens über den Holocaust zum Ausdruck bringen, Worte wie Bruch und Diskrepanz.

Bruch, Diskrepanz usw., das kam mir irgendwie natürlich und nicht mit Vorbedacht. Sie haben recht, das beschreibt so ziemlich das, was mich innerlich auch dazu bewegt hat, dieses Buch zu schreiben. Die Gegensätze, die Sie da herausarbeiten, sind völlig richtig gesehen. Die Antwort kann ich eigentlich nicht geben.

An einer Stelle hat mir ein Leser gesagt, dir kann man es nicht rechtmachen, ob man dich fragt über deine Erfahrungen oder ob man dich nicht fragt, so oder so ist es dir nicht recht. Das stimmt. Man kann es mir nicht rechtmachen. In irgendeinem konkreten Fall natürlich schon, wenn das Interesse nicht sensationslüstern ist oder sehr sentimental. Man merkt schon die Unterschiede zwischen Fragen und Fragen, wenn man den Unterschied zwischen Kunst und Kitsch weiß und zwischen ehrlich und unehrlich. – Aber im Grunde habe ich wirklich keine Lebensweisheit anzubieten, keine Grundsätze, nach denen man nun richtig verfahren könnte. Ich bin in ein Jahrhundert, in ein Zeitalter hineingeboren, wo eigentlich alles, was wir so an Wertvorstellungen mitbekommen haben, auseinanderklaffte. Ich bin nicht die Frau, das alles wieder zusammenzubringen. Ich kann nur darstellen, was mir in meinem eigenen Leben an Brüchen aufgefallen ist.

Diese Haltung kommt übrigens auch in dem Titel zum Ausdruck, den ich dem Buch gegeben habe – ›weiter leben‹. Dieser Titel wird ja öfters als ein Hoffnungszeichen gesehen. Ich habe ihn aber absichtlich klein und getrennt geschrieben, was ja eigentlich laut Duden nicht richtig ist, um anzudeuten, daß es sich nicht um einen Imperativ – Weiter! Du sollst weiterleben! – handelt. Es ist eher so, daß eben ein Tag dem andern folgt und man lebt weiter, wenn man noch nicht gestorben ist. Also eine Reihung, eine Häufung.

Sie formulieren keinen Imperativ, aber das Überleben selbst ist doch ein Hoffnungszeichen. Und hier steht die Literatur der Überlebenden wieder vor einem Dilemma. Mit biographischen Mitteln erzählen sie Geschichten des Entkommens, aber ebensosehr beanspruchen sie, über ausweglose Situationen zu berichten. Der Triumph des Überlebens schmälert die Auskunft über die Ermordeten. – Welche neuen Versuche sehen Sie in der Holocaustliteratur, mit diesem Dilemma umzugehen?

Es gibt einige. Ich möchte vorausschicken, daß jeder, der es versucht, sich mit diesem Problem, diesem an sich literarischen Problem auseinanderzusetzen, große Aufmerksamkeit verdient und nicht aus irgendwelchen trivialen Gründen abgetan werden soll.

Da ist zum Beispiel ›Die Ermittlung‹ von Peter Weiss.[3] Mir scheint wichtig, daß er eben das versucht hat, daß er versucht hat, nicht den Mord an einzelnen, sondern den Massenmord auf die Bühne zu stellen. Unsere ganze Tra-

3 Vgl. hier S. 51.

dition der westlichen Literatur steht dagegen. Wir haben in Jahrhunderten versucht, immer neue Nuancen der individuellen Psyche aufzuzeichnen. Es ist uns auch gelungen, wie man am psychologischen Roman des 19. Jahrhunderts sehen kann. Plötzlich sind wir aber konfrontiert mit einem Erleben, dem diese Literatur nicht gerecht werden kann. Das ist unmöglich. Wenn man es versucht, wenn man einfach versucht, so ein Einzelschicksal zu nehmen und darzustellen, als wäre es repräsentativ, dann kommt man zu dieser ›Holocaust‹-Serie, dann kommt man mit irgendeinem Kitsch. Peter Weiss hat eben durch diese Zeugen und Angeklagten, die anonym sind, die austauschbar sind, versucht, das darzustellen. Es wird ihm vorgeworfen, daß er den Holocaust marxistisch interpretiert. Das tut er halt, und wenn man es nicht gern hat, dann soll man sagen, er hat unrecht. Aber das ist die Basis des Stücks, die er gebraucht hat, um das so darzustellen und damit zu Rande zu kommen. Das ist ein ganz, ganz ernsthafter Versuch, sicher nicht der letzte, sicher nicht vollkommen. Wenn man bedenkt, womit er zu arbeiten hatte, war es wirklich außerordentlich.

Dann gibt es die Geschichten von diesem genialen Polen Tadeusz Borowski,[4] den ich auch in meinem Buch zitiere: ›Die steinerne Welt‹. Und das ist so ziemlich das Radikalste, was ich kenne an Fiktionen, die unsere Wertvorstellung, die Wertvorstellungen der christlich-humanitären Welt, abbrechen. Er berichtet zum Beispiel von einem Fußballspiel in Auschwitz, währenddessen ein Transport vergast wird. Dann gibt er immer wieder von innen erzählte Erlebnisse der Häftlinge wieder, die an der Rampe arbeiten und sich ›bereichern‹. Was heißt bereichern? Sie bereichern sich an Dosen von Marmelade, und dafür sterben Menschen. Er berichtet von diesen neuen Wertvorstellungen, wo die Marmelade mehr wert ist als das Men-

4 Vgl. hier S. 61 f.

schenleben, wo die Häftlinge selber zynisch gemacht werden. Borowski hat die richtige Form dafür gefunden – und sich nachher umgebracht.
Für mich ist das ganz wichtige Lagerliteratur. Da ist eben der Versuch gemacht worden, unsere Werte von vornherein nicht anzuerkennen. Das ist ein Schockerlebnis für den Leser.
In den besten Geschichten von Borowski ist der Ich-Erzähler involviert, er ist auch ein innerlich Verdammter. Es gibt nichts anderes als diese Lagersituation. Das ist die Welt, die ›steinerne Welt‹.
Die Problematik der Mitteilung und der Mitteilbarkeit berührt auch die Spezifik weiblicher bzw. männlicher Erfahrungsweisen. Wir kamen darauf zu sprechen, als es um die Adressaten der Literatur ging. Jetzt möchte ich anders fragen: Erlebt die männliche Erinnerung den Holocaust anders, als Erniedrigung, als Kränkung?
Das wäre eine sehr interessante Frage. Ich habe sie mir nicht in diesem Sinne gestellt. Aber vorweg ist zu sagen, daß es sich ja bei meinem Buch unter anderem auch um ein feministisches Buch handelt. Die feministische Grundlage ist, daß ich den Holocaust, oder sagen wir: den Faschismus bzw. Nazismus als eine Ausgeburt des Patriarchats darstelle und es auch so erlebt habe; als diese arische Männerwelt. Das heißt natürlich nicht, daß die Frauen nicht mitgejubelt haben, aber die Macht war in den Händen der Männer, und ich habe sie als eine männliche Macht empfunden. Das hat sicher einen großen Eindruck auf mich hinterlassen. Die offizielle Welt, wie ich sie empfunden habe – trotz der Aufseherinnen, die ziemlich untergeordnet waren – war eine Männerwelt. Ich sehe den Faschismus, auch den Rechtsradikalismus im Moment, als eine männliche Geschichte.
Erinnern heißt benennen, aber wir haben kein richtiges Wort, ob man nun Holocaust sagt oder Schoa oder Kata-

strophe oder Endlösung oder was auch immer.[5] *Jede Metapher für ›Auschwitz‹ stellt Fallen. – Was soll man aber tun?*
Man kann nichts tun. Das ist wieder so ein Dilemma, denn man braucht doch ein Wort. Ich bin gar nicht der Meinung von manchen Leuten, die denken, man muß immer wieder ›der Massenmord der Deutschen an den Juden‹ sagen. Mir sind alle diese Wörter eigentlich recht, ich reibe mich an keinem davon. Es ist offensichtlich so, daß sie bei vielen ein genügendes Unbehagen hervorrufen, um ein neues Wort zu suchen. Nun, es ist tatsächlich der Fall, daß Wörter verbraucht werden, daß sie zu oft benützt werden, daß man sie wie Schuhe endlich wegwerfen muß, gerade wenn sie bequem geworden sind, und sich neue anschaffen, die dann eine Weile ein bißchen drücken. So war es mit ›Holocaust‹. Zuerst gab es keines, gar kein Wort, dann Holocaust, dann Schoa. Die Rede von der ›Endlösung‹ hat es natürlich immer gegeben, doch da ist das Problem, das im Zynismus dieses Wortes selber steckt. Ich verwende sie eigentlich alle, auch ›jüdische Katastrophe‹. Ich verwende sie, wie sie mir in den Kontext passen.
Ist der Umgang mit den Bezeichnungen vielleicht so ähnlich wie der Umgang mit dem Schreiben: Es gibt eine Vielfalt möglicher Bezüge, Formen, Worte, aber nichts davon ist immer schon festgelegt?
Natürlich gibt es Wörter, die so übel gebraucht wurden, daß man sie unmöglich verwenden kann. Das sind gewisse Nazi-Wörter. Aber die, von denen wir hier sprechen, haben damit nichts zu tun.
Was für die Wörter gilt, spielt auch in der Komparatistik eine Rolle. Es gab ein Verdikt im deutschen Historikerstreit von 1986/87, das kann man in Gebotsform formulieren: ›Du sollst nicht vergleichen‹.
Sie wissen, daß ich das für absolut falsch halte. Es ist nicht einmal möglich. Gerade diejenigen, sagen wir die Juden,

5 Vgl. Anm. zu 76,5/76,4 und 93,21 / 94,9.

die den Holocaust mit nichts vergleichen wollen, vergleichen ihn unentwegt mit Pogromen, die vorhergingen. Wenn man sagt, das waren alles Pogrome und der Holocaust war das ärgste Pogrom, dann ist das ja ein Vergleich. Anders geht es gar nicht.

Warum kommt es dennoch immer wieder zu so engagierten Auseinandersetzungen um diese Frage?

Das kann ich Ihnen schon sagen, weil es ja sehr schlechte Vergleiche gibt. Da darf man dann nicht sagen: Du sollst nicht vergleichen, sondern: Das ist ein ausgesprochen schlechter Vergleich, zum Beispiel wenn man sagt, Abtreibungen sind wie Kindesmord und Vergasungen. Das bedeutet nämlich für mich ganz persönlich, daß meine Mutter, die während der Hitlerzeit ein Kind abgetrieben hat, nicht besser ist, ein ebensolches Verbrechen begangen hat, wie die Menschen, die ihren Sohn – meinen Bruder – töteten. Das ist eine Ungeheuerlichkeit; – nicht weil verglichen worden ist, sondern weil es so ein irrsinnig schlechter Vergleich ist.

Vergleichen bedeutet ja auch Unterschiede zu finden, das ist ganz wichtig. Der Unterschied zum Beispiel zwischen Hiroshima und Auschwitz war, daß Hiroshima noch immer eine Kriegshandlung war, innerhalb eines Krieges stattfand.

Über die Einsatzmotive streiten sich die Historiker. Es ist belegt, daß es der amerikanischen Führung bekannt war, daß Japan unmittelbar vor der Kapitulation stand …

Ja, das wußte man, und außerdem waren die Russen schon an der Grenze. Das kommt alles in die Unterschiede rein. – Man kommt also sofort in ein interessantes Gespräch, wenn man über Vergleiche spricht. Da sagen Sie, da sind Unterschiede. Ich antworte dann, dies fand innerhalb eines Krieges statt, in Auschwitz aber war eine Zivilbevölkerung. Genau das kommt eben zur Sprache bei Vergleichen und kommt nicht zur Sprache, wenn man überhaupt nicht vergleicht.

Ähnliche Fragen begegnen uns in der Museums- und Erinnerungskultur, in den Gedenkstätten. Sie sprechen von Aberglauben, von Beschwörungsversuchen, auch von der unterschwelligen Ambivalenz zwischen Ehrfurcht. – Um es salopp zu formulieren, soll man die Zäune von Auschwitz ständig neu anstreichen oder soll man sie verfallen lassen?

Ich würde kein Geld dafür geben, die Zäune neu anstreichen zu lassen. Wenn jemand anderes sein Geld so anlegen will, bitte schön. Ich übe Kritik an dieser Museumskultur und werde dann öfters empört gefragt, ja aber sollen wir das nun alles abschaffen? Wenn ich Kritik an einem Buch übe, so werde ich auch nicht gefragt, soll dieses Buch verbrannt werden. Dazu wäre die Antwort: Natürlich nicht. Ich sage nur, ich würde es nicht kaufen.

Diese Gedenkstätten verführen zu Sentimentalität. Sie werden von Politikern mißbraucht. Die ersten Politiker oder die ersten, die irgend etwas machen, die machen es noch mit einem Anstoß von Originalität, mit einer gewissen Ehrlichkeit, die sich einprägt, wie Willy Brandt mit seinem Kniefall in Warschau. Aber jeder Politiker, der sich seither dort photographieren läßt, ist doch eine sehr, sehr schlechte Nachahmung.

Zu den Gedenkstätten, zum historischen Vergleichen, in gewisser Weise auch zum erinnernden Erzählen kann man angesichts der Vielzahl von Unlösbarkeiten und Widersprüchen offenbar nur eins sagen: Man kann es nur falsch machen. Das eigentliche Problem besteht darin, auf welchem Niveau sich dieses Scheitern abspielt …

Dieses Scheitern riskiert man eigentlich immer. Die Gedenkstätten sollten jedoch nicht überschätzt werden. Ich habe das Beispiel Hiroshima vor Augen, das ich einmal besucht habe. Der Friedenspark kommt einem besonders kitschig vor im Westen, weil man ihn aus größerer – innerer – Distanz wahrnimmt. Da sieht man leichter, was das für ein Kitsch ist, und es ist der Kitsch der Hilflosigkeit.

KZ-Gedenkstätten, Museen, Mahnmale, die Ortschaften, ›wo es geschah‹ – stehen sie nicht alle vor dem gleichen Problem, den Kontext zu verlieren? Sie benutzen dagegen den Ausdruck ›Zeitschaften‹. – Was ist damit gemeint?
Das habe ich so erfunden. Ein Ort in der Zeit, der nur existiert unter den gewissen Gegebenheiten. Auschwitz – damals war es Vernichtungslager, jetzt ist es ein Museum. Oder Dachau. Dort ist das offensichtlich, weil es so gepflegt ist, und weil die Touristen so schön von München herüberkommen in bequemen Bussen. – Der Schrecken war ja nicht an einen Ort gebunden. Es war ja nicht so, als ob ein gewisser Ort für diese Greueltaten besser gewesen wäre als andere Orte. Es hätte ja überall stattfinden können.
Es ist ein Irrglaube, man könne den Ungeist an einem Ort bannen. Ich meine, wenn es irgendwie hilft, sich an etwas zu erinnern, indem man an diesen Ort geht, bitte. Aber das, worum es geht, ist nicht an diesen Ort gebunden. Und aus diesem Ort ist mit der Zeit etwas ganz anderes geworden.
Und doch braucht die Erinnerung ein Material, eine Veranschaulichung. Wenn der Ort es nicht – oder nur begrenzt – leisten kann, verlagert sich das Problem auf Fragen der Vergegenwärtigung, der Darstellung, der Dokumentation usw. – und wieder: auf das Problem ihrer jeweiligen Grenzen. – Wo kann man, wo muß man Ihrer Meinung nach Grenzen der Darstellbarkeit ziehen?
Das läßt sich immer nur im bestimmten Fall entscheiden. Die allgemeinen Regeln haben sich nie bewährt. Ich habe in meinem Buch zweimal die Erfahrung der Grenzen gemacht. Ich hatte zwei Stellen, wo ich in einigem Detail ein Greuel beschrieben habe. Das eine war am Anfang, als mein Cousin erzählte, wie er gefoltert worden ist. Darüber hatte ich einen Absatz geschrieben, in dem genau stand, was er mir erzählt hat. Ich habe das dann gestrichen: Stehengeblieben ist einfach nur, daß er mir das erzählt hat,

und beschrieben habe ich, wie er jetzt ausschaut – ein bißchen ächzend, ein bißchen umständlich.
Der andere Fall war ein Abend mit Saul Friedländer. Er verbirgt sich hinter jenem anonymen Historiker in meinem Buch, der mir unwissentlich die Geschichte vom Tod meines Bruders erzählt hat, von dessen Deportation nach Riga.[6] Auch da habe ich zunächst in einigem Detail aufgeschrieben, was er mir berichtet hat. Und dann habe ich es gestrichen. Es war so ein schriftstellerischer Instinkt. Ich habe mir gedacht, Herrgott, die Leute wissen das doch schon, die geilen sich jetzt noch einmal daran auf. Wenn sie es wissen wollen, so sollen sie anderswo nachschlagen. Das ist nicht, was ich hier beschreibe.
Ich schreibe von unserem Erinnern an das Vergangene und muß nicht wiederholen, was schon geschrieben ist. Das bedeutet aber auch, und ich glaube, das ist schon wichtig, daß da 40 oder 50 Jahre lang Schrifttum vorhanden ist, auf das ich mich beziehen kann. Ich muß nicht noch einmal schlecht das machen, was Primo Levi[7] so gut gemacht hat. Mein Buch ist ein Buch der 90er Jahre. Je mehr Zeit vergeht, desto weniger wird es nötig sein, diese Details zu beschreiben, und je öfter sie dann noch beschrieben werden, desto mißtrauischer kann man werden. Also, auch hier gibt es einen Kontext. Es war am Anfang schon notwendig zu beschreiben, was in den Lagern vor sich ging. Es war auch noch nötig, daß Peter Weiss das gemacht hat für den Auschwitz-Prozeß. Dem ist es ja gelungen, diese Gewalttätigkeit an Menschen so darzustellen, daß die Täter als die Verächtlichen dastanden und nicht die Opfer.
Unzulänglichkeiten, Dilemmata, Scheitern – das waren wiederkehrende Formulierungen in unserem Gespräch. Das letzte, in dem sich die anderen zusammenfassen, ist die Sinnlosigkeit, die Auschwitz umgibt. – Von welcher Bedeutung kann die Erfahrung der Sinnlosigkeit sein?

6 Vgl. hier S. 58.
7 Vgl. hier S. 62.

Ich weiß nicht, was man von Auschwitz lernen kann. Das waren nutzlose, unnütze Einrichtungen. Wenn das eine Schule für irgend etwas war, wie Primo Levi gesagt hat – ich wollte, ich hätte es nicht erlebt. Für mich war das keine Schule, ich wäre viel lieber in andere Schulen gegangen. Wenn ich jetzt zurückdenke, tue ich mir leid, weil es nicht möglich war, irgendwo anders zu leben. Ich lehne es ab, ich lehne es total ab, daß Auschwitz für mich zu etwas gut war. Natürlich habe ich in diesen drei Jahren etwas gelernt, das ist klar. Ich bin nicht blind da durchgegangen, ich war ein einigermaßen aufgewecktes Kind, und gewisse Dinge habe ich wahrgenommen und gelernt und verarbeitet, aber ich hätte außerhalb von diesem Ort, von diesen Lagern Besseres gelernt. Mag die Extremsituation auch den Blick schärfen, der Preis war zu hoch.«

Gespräch Klaus Naumanns mit Ruth Klüger. In: Mittelweg 36. Zeitschrift des Hamburger Instituts für Sozialforschung. Nr. 6/1993. S. 37–45. – Mit Genehmigung von Klaus Naumann, Hamburg.

IV. Dokumente zur Wirkungsgeschichte

Ruth Klügers Text *weiter leben* ist – bis auf wenige Ausnahmen – von der deutschen Buchkritik enthusiastisch aufgenommen und dabei als Paradigma eines neuen Diskurses über den Holocaust verstanden worden. Nach der anfänglichen Odyssee durch verschiedene deutsche Verlagshäuser, die *weiter leben* ablehnten (am bekanntesten die Ablehnung des Frankfurter Suhrkamp Verlags durch Siegfried Unseld[8]), überrascht diese Einhelligkeit. Die nachstehenden, chronologisch nach Erscheinungsdatum sortierten Texte zeichnen die Linien der Rezeption exemplarisch nach.[9]

Der Kritiker Hans Joachim Kreutzer bezieht sich u. a. darauf, dass die anerkannte Literaturwissenschaftlerin Ruth Klüger in ihrem Buch *weiter leben* diesen Aspekt ihrer Biografie nahezu völlig ausgeklammert hat:

»Was in dem Buch nicht steht: Ruth K. (für Klüger) Angress brauchte international auch unter sehr begabten Germanisten keine Vergleiche zu scheuen. Die steile akademische Wendeltreppe vom Durchschnittscollege über den Ph. D. in Berkeley bis zur Ivy-Leage-Universität hat sie mit Bravour genommen. Dann brach sie aus der vornehmen Welt der Ostküste aus und ging wieder nach Kalifornien, zu ihrem ursprünglichen Namen ist sie schon vor diesem Buch zurückgekehrt. Über Barockdichtung wie über Gegenwartsliteratur hat sie erfolgreich publiziert, spät erst sich katholischen Autoren zugewandt, noch spä-

8 Vgl. dazu u. a. den Artikel »Monopol für die Engel?«, in: *Der Spiegel* 5/1993, S. 189.

9 Vgl. dazu den ausführlichen Artikel von Holger Gehle, »›weiter leben‹ in der deutschen Buchkritik«, in: H. G. / Stephan Braese, *Ruth Klüger in Deutschland*, Bonn 1994.

ter jüdischen, schließlich Frauen in der Literatur. Immer hatte sie eine Neigung zu Spätkommenden, Aufholenden, Schwächeren. Die beste Hand bewies sie bei notorischen Widerspruchsgeistern und Fragenden, Lessing etwa oder Kleist.

Die Lebensgeschichte der Erwachsenen, als Kommentar nützlich, für die Lektüre nicht notwendig, hat die Autorin beiseite gelassen, als sie den ›Erzähler‹ dieses Buches entwarf. Das ist eine wohlüberlegte Kunstfigur, die ganz und nur aus Ruth Klüger besteht, aber es ist nicht die volle biographische Gestalt, mit allen Details, mögen sie auch auf dieser Kindheit beruhen. Diese Erinnerungen wären verarmt zu einem bloßen Spezialfall, wenn jetzt Entschlüsselung mit im Spiel wäre. Trotzdem erzählt immer noch ein Individuum, frierend, hungernd, ab und an unter Tränen, aber das sind dann Tränen der Wut. Die Wut bekommt der federnden Schlagfertigkeit, dem hochintelligenten Witz dieser Prosa ganz ausgezeichnet.

Ein zweiter Kunstgriff: Soweit es irgend geht, wird der Erfahrungs- und Erinnerungsraum des Kindes gewahrt. Also keine geschichtliche Generalisierung, schon gar nicht im Vergleich mit anderen Autoren. Psychologische Analyse ist vielfach im Spiel, doch rein erzählend, durch Zeichnung des Vaters und der Mutter. Eine Kindheit, die nur Niederlagen enthält, und sie verschweigt keine. Rücksichtslos-schutzlos zeigt sich die Autorin, indem sie ihre Kindergedichte aus den Lagern kommentarlos preisgibt, jeder sieht ja, daß sie nicht ›gut‹ sind. Sie stellt es dem Leser anheim, ob er sie begreift, das heißt, ob er erkennt, daß Vers und Reim, vielleicht auch eine Metapher, jedenfalls die Furcht vor der Gefahr abwenden können, wenn schon nicht die Gefahr selber. Die Prosa ist auch im Detail sehr geformt: Unmerklich verdichten sich die Absätze gegen ihr Ende, der letzte Satz schlägt oft zu. Viele Rippenstöße, Magenhaken, auch für die Nachgeborenen.

Ruth Klügers Buch ist voller Widerspruch gegen Sinnsuche oder auch nur Erklärung, lernen ließ sich nichts in den Lagern. Das war Dummheit, Blödsinn, Unfug – Spuk ist noch das emphatischste Wort, das sie dafür findet. Schon der Titel ›weiter leben‹ ist eine trotzige Geste. Die Prämisse für alle Einsicht wie für das Handeln ist: Wer jeweils die Macht hat, der Herrschende, der Stärkere, der kann nach aller Wahrscheinlichkeit nicht im Recht sein, die jahrtausendealte Erfahrung dieses Volkes beweist es. Und die Lager haben es überflüssigerweise und unumstößlich erneut bewiesen.

Mit dem frischen Frühlingsmorgen des Jahres 1945 in niederbayrischer Landschaft hätte das Buch enden können. Aber das wäre Poesie und damit falsch gewesen. Ruth Klüger unterwirft ihre Kindheitserzählung, die nur den Schluß zuläßt, daß in Auschwitz keiner etwas lernen konnte und daß daraus die meisten nichts lernen wollten, in einem doppelten Nachspiel, der Erprobung. Hat das alles denn auch jetzt und später gar keine Wirkung?

Sie prüft ihre eigene Erinnerung im Spiegel der Reaktionen von Mitlebenden. Könnte man irgendwann vielleicht doch, wie so manche es tun, die eintätowierte Auschwitznummer vom Unterarm entfernen lassen oder sie wenigstens bedecken? Erster Testfall: Ein paar Studiensemester an einer katholischen philosophisch-theologischen Hochschule, das war in Regensburg. Zweiter Testfall: Die Reibungen und Reibereien der Emigrierten, als man in New York ankommt. Die Überleitung zu diesem Teil des Buches bildet den Satz: ›So kam ich unter die Deutschen.‹ [180,34 / 182,33.] Kein gutes Vorzeichen – dieser Satz leitet in Hölderlins ›Hyperion‹ die sogenannte Scheltrede des Helden auf die Deutschen ein.

In allen Begegnungen und Gesprächen ganz unterschiedliche Reaktionen. Nur in einem Punkt stimmen sie überein: Unzureichend sind alle. Sie sind sogar niederschmetternd. Überall Relativierungen, Schutzbehauptungen, Vorurteile, Denkklischees, es gibt direkte Brücken zu

Fremdenangst und -haß von heute. Keiner hat wirklich begriffen, auch nicht der bald als Schriftsteller berühmt gewordene Regensburger Kommilitone, der als ›Christoph‹ maskiert wird. Merkwürdiger Unterschied: Der Hyperion Friedrich Hölderlins schilt die Deutschen tatsächlich, die Ruth dieses Buches hingegen bittet nur. In seiner Vergeblichkeit ist das freilich schneidender: ›Ihr müßt euch nicht mit mir identifizieren ... Aber laßt euch doch mindestens reizen, verschanzt euch nicht, sagt nicht von vornherein, das gehe euch nichts an ...‹.«

Hans Joachim Kreutzer: Die Auschwitznummer nicht verdecken. Ruth Klügers Erinnerungen – eine Einladung zum Streiten. In: Süddeutsche Zeitung. 14. November 1992. Nr. 264. Feuilleton-Beil. S. 4. – Mit Genehmigung von Hans Joachim Kreutzer, München.

Die Göttinger Germanistin HEIDI GIDION betrachtet in der Fachzeitschrift für Frauenbuchkritik *Virginia* den Aufbau des Buches, der nur auf den ersten Blick chronologisch geordnet zu sein scheint:

»Die Autorin dieses Buches, die heute in Kalifornien lehrende Germanistin Ruth Klüger (1931 in Wien geborene Jüdin), ist als Zwölfjährige zusammen mit ihrer Mutter aus einem Außenlager von Groß-Rosen, Christianstadt, entflohen – eine der ganz wenigen, die ›noch einmal davongekommen‹ sind.
Schon im Titel ›weiter leben‹ klingt an, weshalb es sich hier nicht um ein Holocaust-Buch unter anderen wichtigen handelt, sondern um etwas von ihnen deutlich Unterschiedenes. Die Gliederung nach den entscheidenden Orten – Wien; die Lager: Theresienstadt, Auschwitz-Birkenau, Christianstadt (Groß-Rosen); Deutschland: Flucht, Bayern; New York; Göttingen – könnte den Eindruck erwecken, hier werde chronologisch erzählt, von einer Station nach der anderen. Aber das trifft nicht das Bauprinzip die-

ses durchstrukturierten Buches. Denn von der ersten Seite an wird deutlich, daß es in erster Linie nicht um die Abfolge von Ereignissen geht – obwohl diese weiß Gott erzählenswert sind. Worauf es der Autorin ankommt, ist Auseinandersetzung. Auseinandersetzung ist der Motor, der immer wieder das nachdenkliche Fragen, das fragende Nachdenken in Gang setzt.
Ruth Klüger ist nie mit sich allein, wenn sie hier spricht: Mitgegenwärtig sind immer die ›Gespenster‹, ihre Toten, von denen sie erzählt. Mitgegenwärtig sind aber auch wir, denen sie dies alles erzählt: wir, die Deutschen. Reich informierte, ahnungslose, besserwisserische, ungläubige Deutsche, von denen sie einige trotzdem zu Freundinnen und Freunden hat, denen sie das Buch sogar widmet.
Ruth Klüger will gehört werden, und so komponiert sie Stimmen, die auf sie reagieren, gleich hinein in ihren Text. Sie umstellt die erzählten Partien gleichsam mit Spiegeln, und das Reflektieren hier und heute ist nicht zu trennen von den Berichten damals. Die fiktiven Gegen-Stimmen redet sie – die in der deutschen Literatur beheimatet ist – gelegentlich so treuherzig altfränkisch an wie Matthias Claudius oder Johann Peter Hebel ihre lieben Leser: ›Das hab ich erlebt, die reine Tat. Hört zu und bekrittelt sie bitte nicht, sondern nehmt es auf, wie es hier steht, und merkt es euch.‹ [134,21–23 / 135,20–135,22.]
[…] Zur Lust an der Auseinandersetzung gehört, daß sie sich zu einem offenen parteiischen Standpunkt bekennt: Frauen sind weniger anfällig für Brutalität und Faschismus. Sie hat nicht nur Reaktionen in den Text hineinkomponiert, sie will sie auch provozieren. Eine Frau, der so viel gestohlen worden ist von dem ihr zustehenden Teil von Jugend, freier Entfaltung, Wahrgenommen-Werden, eine Frau, die man wieder und wieder nicht hat gelten lassen, vor 1945 und auch danach, hat einen Horror vor

Rührseligkeit und Selbstmitleid und behauptet sich trotzig: ›Nur an meinen Unversöhnlichkeiten erkenn ich mich, an denen halt ich mich fest. Die laß mir.‹ [279,15 f. / 279,10–12.] Mit der beharrlichen und oft witzigen, souveränen Art des Dialogs, den das Buch auf vielen Ebenen führt, scheint mir die Autorin unter anderem auch feministische Selbstbehauptung eines neuen Typs zu praktizieren.«

Heidi Gidion: Im Parlando-Ton und lakonisch. In: Virginia. Nr. 14. März 1993. S. 26. – Mit Genehmigung von Heidi Gidion, Göttingen.

Sigrid Löffler (damals Mitglied im »Literarischen Quartett«, einer sehr einflussreichen literaturkritischen Fernsehsendung, und inzwischen Herausgeberin der wichtigen Literaturzeitschrift *literaturen*) konzentriert sich auf die Person Ruth Klügers, den Stellenwert von *weiter leben* in der Holocaust-Literatur, bezieht sich auf die Preise, die das Buch schnell erhielt, sowie auf Frau Klügers literaturwissenschaftlichen Werdegang:

»Sie stammt aus Wien, aus dem siebten Bezirk, aber sie hat wenig Ursache, ihre Geburtsstadt sonderlich zu schätzen: ›Freudlos war sie halt und kinderfeindlich. Bis ins Mark hinein judenkinderfeindlich.‹ Die ersten elf Lebensjahre hat Ruth Klüger da verbracht, ›in diesem Urschleim‹, und ihre Erinnerungen daran sind auch heute, ein halbes Jahrhundert danach, immer noch peinlich präzise: ›Man trat auf die Straße und war in Feindesland.‹
Wien ist die Stadt, in der Ruth Klüger ›schon mit sieben auf keiner Parkbank sitzen und sich dafür zum auserwählten Volk zählen durfte‹. In Wien hat sie sprechen und lesen gelernt: ›An judenfeindlichen Schildern habe ich die ersten Leseübungen und die ersten Überlegenheitsgefühle geübt.‹ Sie könne nicht sagen, schreibt sie, daß sie ›ihn ungern getragen hätte, den Judenstern. Unter

den Umständen schien er angebracht. Wenn schon, denn schon‹.

Mit elf Jahren, im September 1942, wurde Ruth Klüger mit ihrer Mutter aus Wien deportiert, zuerst nach Theresienstadt. ›Ich habe Theresienstadt irgendwie geliebt‹, schreibt sie – die Kontakte, Freundschaften und Gespräche im Lager hätten ein soziales Wesen aus ihr gemacht. ›Ich habe Theresienstadt gehasst‹, schreibt sie – das Lager sei ein Sumpf gewesen, eine Jauche, ein Ameisenhaufen, der zertreten wurde.

Zwei Jahre später dann, in Auschwitz-Birkenau. Daß die Dreizehnjährige im Todeslager nicht umkam, sondern überlebte, ist ein Zufall. Bei der Selektion war das Kind schon auf die Seite geschickt und zum Tod bestimmt. Sie mogelte sich hinaus und ein zweites Mal in die Reihe; eine Frau flüsterte ihr zu, sich als fünfzehn auszugeben. Die Kleine gehorchte. Die Retterin war ein anderer Häftling, eine unbekannte Frau, die die Lüge des Mädchens unterstützte und ihm damit das Leben rettete. Ruth Klüger nennt diesen Zufall einen ›unbegreiflichen Gnadenakt, schlichter ausgedrückt, eine gute Tat‹. Sie hat nicht aufgehört, darüber zu staunen, ›daß da eine war, die ich nicht kannte, die ich nie wiedersah, die mich retten wollte, nur so, und der es auch gelang‹.

Schon um dieses Zufalls willen hat Ruth Klüger, Jahrgang 1931, sich fünfzig Jahre später entschlossen, ihre Erinnerungen an die Lagerkindheit in Theresienstadt, Birkenau und Groß-Rosen aufzuschreiben. Ihr Lebensrückblick ›weiter leben. Eine Jugend‹ [...] war eine der Buch-Entdeckungen der letzten Saison und entwickelte sich vom Überraschungs- zum Dauererfolg. [...]

Und bemerkenswert ist ›weiter leben‹ in der Tat. Auch wenn sich Ruth Klügers Autobiographie an den Auschwitz-Erinnerungen von Opfern wie Jean Améry oder Primo Levi, Elie Wiesel, Cordelia Edvardson, Jerzy Ko-

sinski[10] oder Imre Kertész[11] messen lassen muß, so gibt es keinen Zweifel: Dieses Buch kann neben den beklemmendsten Augenzeugnissen über die Lagerhölle bestehen. Über Auschwitz ist immer noch nicht alles gesagt, wenn man es so sagen kann wie Ruth Klüger – lakonisch, ohne Pathos, mit unbedingter Aufrichtigkeit, Gefühlsgenauigkeit und Schonungslosigkeit, auch gegen sich selbst. Was an Ruth Klüger, der Autorin und der Frau, am meisten auffällt, ist eine rare Mischung aus Herzens-Sorgfalt und Direktheit, aus Furchtlosigkeit und Delikatesse, aus Burschikosität und Behutsamkeit. Ihr Blick ist unverwandt, ihre Haltung gradlinig, ihr Maßstab ist die Nüchternheit: ›Man soll sich dem Thema Holocaust nicht mit Ehrfurcht nähern – das verkrampft das Denken‹, sagt sie. [...]
Ruth Klüger kennt die Schuldgefühle und Depressionen der KZ-Überlebenden, die sich mit dem ›Mysterium des Übriggebliebenseins‹ – wie Imre Kertész es nennt – herumschlagen und es sich wie einen Vorwurf anrechnen, davongekommen zu sein. Die Vergangenheit ist nicht vergangen. Nach der Erfahrung Auschwitz kann es keine Normalität mehr geben. Das Leben geht weiter, auch für die überlebenden Opfer, aber es findet nicht statt. Vor allem: Auschwitz hatte keinen Sinn und kann auch nachträglich keinen erhalten. Ein Sinn, meint Ruth Klüger, sei in Auschwitz nicht zu finden, denn der Ort war ›absurd‹, ›pervers‹, ›abwegig‹, der ›allernutzloseste‹. Lernen ließ sich dort nichts, ›schon gar nicht Humanität und Toleranz‹. Manchmal werde sie gefragt, schreibt sie: ›Was habt ihr Kinder in Auschwitz gemacht?‹ Ihre Antwort ist knapp

10 Jerzy Kosinskis (1933–91) Roman *Der bemalte Vogel* (1965) gehört zu den bekanntesten Werken der Holocaust-Literatur – und zu den umstrittensten: Er thematisiert u. a. den polnischen Antisemitismus in drastischer Form.

11 Imre Kertész (geb. 1929) überlebte die Konzentrationslager Auschwitz und Buchenwald. Seine eigenen Erfahrungen hat er in mehreren Büchern reflektiert – nahezu alle erlangten Weltruhm (z. B. *Roman einer Schicksallosen*, 1975). 2002 erhielt er den Literaturnobelpreis.

und schneidend: ›Appell gestanden sind wir. In Birkenau bin ich Appell gestanden und hab' Durst und Todesangst gehabt. Das war alles, das war es schon.‹
Auch wer physisch unversehrt davonkam, schleppt an psychischen Beschädigungen. Die eigenen Neurosen und Zwangsvorstellungen werden in ›weiter leben‹ benannt. Der lebenslange Kampf mit einer paranoiden Mutter – er wird in aller quälenden Unversöhntheit beschrieben. Das Dilemma des Davongekommenseins – es wird aufgezeigt, auf hohem Reflexionsniveau. Die Auseinandersetzung mit dem deutschen Freund Christoph, der für Ruth Klüger zum ›Inbegriff des deutschen Nachkriegsintellektuellen‹ werden sollte und in dem Martin Walser zu erkennen ist – das wird ganz unbeschwichtigt vorgeführt. Klüger sagt: ›Das Buch ist für Martin Walser geschrieben. Für mich war er der Deutsche, der nicht zugehört hat, aber der Deutsche, der immer freundlich war, der Intellektuelle mit Skepsis und Feinfühligkeit.‹
1948 ist Ruth Klüger mit ihrer Mutter nach New York ausgewandert. Sie studierte Anglistik, heiratete einen Amerikaner, ließ sich scheiden, zog zwei Söhne als Amerikaner auf, arbeitete als Bibliothekarin, hieß Ruth Angress – kurz: sie amerikanisierte sich mit allen Kräften, integrierte sich in die amerikanische Gesellschaft. Ihr Deutsch war gründlich verlernt, vergessen, verdrängt.
Bis ihr 1962 in Berkeley der österreichische Exil-Germanist Heinz Politzer vorschlug, Germanistik zu studieren. Da kam das Deutsch, alles Deutsche zurück und drang auf Ruth Angress, geborene Klüger, ein – schlug förmlich in sie ein. ›Mein Entschluß, Germanistik zu studieren, das war die Wende. Ich mußte Deutsch wieder neu lernen, aber ich wollte nicht mit der eigenen Vergangenheit konfrontiert werden. Ich konnte mich auf die Germanistik nur einlassen, indem ich Deutsch als alte Sprache lernte – Mittelhochdeutsch, Barockdeutsch.‹
Ruth Klüger promovierte über ein barockes Thema, arbei-

tete sich mit Lessing und Schiller ins 18. Jh. vor, mit Kleist ins 19., schrieb ihre wissenschaftlichen Aufsätze aber weiterhin auf Englisch: ›Ich benutzte Deutsch strikt nur als akademisches Anliegen, nicht als Recycling der eigenen Vergangenheit. Bis ich in den siebziger Jahren eine Vorlesungsreihe über Holocaust-Literatur hielt und meine Studenten von mir wissen wollten, was ich selber erlebt habe. Erst wehrte ich ab, meinte, ich hätte nichts zum Thema zu sagen, was nicht schon viel besser erzählt worden wäre. Aber dann merkte ich, die Zeit ist ein Faktor.‹ Und sie fügt an: ›Vierzig Jahre Abstand sind eine gute Zeit, auch biblisch, siehe Moses und das Volk in der Wüste. Da habe ich zu schreiben begonnen.‹«

Sigrid Löffler: Davongekommen. In: Die Zeit. Nr. 32. 6. August 1993. S. 59. – Mit Genehmigung von Sigrid Löffler, Berlin.

Der einflussreiche Literaturkritiker Marcel Reich-Ranicki diskutiert in seiner Rezension den Status von Autobiografien und ordnet *weiter leben* in diesen Zusammenhang ein.

»Alle Autobiographien lügen – oder beinahe alle. Denn wer eingehend und ausführlich über sein Leben schreibt, kommt nicht umhin, dies und jenes zu verheimlichen und zu vertuschen oder zumindest zu retuschieren: Jede Selbstdarstellung läßt etwas weg, jede fügt ein wenig hinzu. Und niemand hat das Recht, vom anderen zu verlangen, daß er sich ganz und gar entblöße und preisgebe.
Gleichwohl gibt es autobiographische Bücher, die ehrlich sind oder sich der Ehrlichkeit immerhin nähern. Das geht bisweilen auf den Hochmut des Schreibers zurück oder hat, häufiger noch, mit einer Eigenschaft zu tun, die eine Tugend ebenso wie eine Untugend sein kann: Den Trotz meine ich. Der Umgang mit besonders trotzigen Menschen mag nicht ganz leicht sein, aber ihre Bücher sind die

schlechtesten nicht. Das gilt auch für Ruth Klügers Autobiographie ›weiter leben‹. Hier wird vieles berichtet und erzählt, was schon häufig beschrieben und geschildert wurde. Dennoch haben wir ein im tieferen Sinne sensationelles Buch erhalten – ein Buch, das still ist und zugleich alarmierend wirkt.
Ruth Klügers Trotz hat mit ihrer Herkunft zu tun und mit ihrem Weg. ›Eine Jugend‹ lautet der Untertitel, doch ist die Rede von einem jüdischen Mädchen, dem man die Kindheit gestohlen und die Jugend geraubt hat. Wien, ihre Heimatstadt, empfindet diese kleine Ruth als freudlos und feindlich, genauer gesagt, als kinderfeindlich, noch genauer, ›bis ins Mark hinein judenkinderfeindlich‹.
Im Jahre 1938, als die Deutschen nach Österreich kommen, ist sie gerade sieben Jahre alt. Sie hat den Judenstern zu tragen und gewöhnt sich, die gehässigen Blicke nicht aller, aber doch vieler Passanten zu ertragen: ›Juden und Hunde waren allerorten unerwünscht.‹ Noch darf sie zur Schule mit der Straßenbahn oder der Stadtbahn fahren, aber setzen darf sie sich nicht. Sie darf keine Ausflüge machen, sie darf nicht ins Kino gehen oder Schlittschuh laufen, sie darf zwar, vorerst, den Park betreten, doch auf einer Bank sitzen darf sie nicht. Sie lernt lesen, aber die beste Gelegenheit hierzu bieten die Schilder auf den Straßen, die judenfeindlichen Schilder.

Die Gesichter des Zufalls

Später, schon während des Krieges, gibt es für sie und ihresgleichen keine Grünanlagen und keine Spielplätze. Da hilft die Jüdische Gemeinde, sie stellt den letzten noch in Wien gebliebenen jüdischen Kindern tatsächlich einen Park zur Verfügung und einen Spielplatz. Es ist der jüdische Friedhof. So wird ihnen eine gewaltsam beschleunigte Erziehung zuteil: Die Kinder, die man systematisch schikaniert und erniedrigt, die man täglich dafür bestraft, daß sie Juden sind, müssen sich auch noch mit der unmittelba-

ren, mit der dauernden Nachbarschaft des Todes vertraut machen.
Vielleicht aber ist die schrecklichste Erfahrung in diesen Wiener Jahren von anderer Art: Das Mädchen muß miterleben, wie seine Angehörigen gedemütigt werden – und das ist nicht nur ein grausames, es ist auch ein für immer prägendes Erlebnis. Denn schrecklicher als die Prügel, die ein Kind einstecken muß, sind die Schläge, die in seiner Gegenwart den Eltern ausgeteilt werden. Daran mag Ruth Klüger gedacht haben, als sie schrieb: ›Die Folter verläßt den Gefolterten nicht, niemals, das ganze Leben lang nicht …‹ Und die Folter, welche auch immer, ist es, die ihren Widerstand geweckt hat, ihre Wut und eben ihren Trotz: ›Ich kann nicht sagen‹, schreibt sie, ›daß ich ihn ungern getragen habe, den Judenstern.‹
Im September 1942 gehört sie zusammen mit ihrer Mutter zu den letzten Juden, die man aus Wien deportiert. Sie werden nach Theresienstadt verschleppt. Das ist kein Vernichtungslager, es ist bloß ein Durchgangslager auf dem Weg zu den Gaskammern von Auschwitz. In Häusern, in denen einst Soldaten der habsburgischen Armee wohnten, etwa 3500 Menschen, müssen jetzt 40 000 bis 50 000 Juden leben. ›Ich hab Theresienstadt gehaßt, ein Sumpf, eine Jauche, wo man die Arme nicht ausstrecken konnte, ohne auf andere Menschen zu stoßen.‹
Daß Ruth Klüger Theresienstadt gehaßt hat, bedarf keiner Begründung. Nur sagt sie an einer anderen Stelle: ›Ich hab Theresienstadt irgendwie geliebt.‹ Was gab es dort zu lieben? Im Kinderhaus fiel ihr eine Frau auf, die manchmal mit ihrer Tochter am Tisch saß und ihr ein wenig aus der griechischen Geschichte erzählte: ›Da hab ich mich auch dazugesetzt.‹ Sie erinnert sich an einen Schauspieler, der die Kapuzinerpredigt aus ›Wallensteins Lager‹ rezitierte. Der begeisterte Beifall nach den letzten Worten – *Und solang der Kaiser diesen Friedeland / Läßt walten, so wird nicht Fried' im Land* –, dieser Beifall, schreibt Ruth Klü-

ger, war ›die erste Protestkundgebung, der ich beiwohnte‹; damals habe sie entdeckt, daß sich alte Texte auf Aktuelles beziehen lassen.
Und sie erinnert sich an den großen Rabbiner Leo Baeck, den vorbildlichen preußischen Bürger, dem, als er von seiner Berliner Wohnung abgeholt wurde, daran gelegen war, noch unbedingt seine Gasrechnung zu bezahlen. Nun war also auch der berühmte Gelehrte in Theresienstadt. Auf einem Dachboden erzählte er den Kindern die Geschichte von der Schöpfung der Welt: ›Er gab uns unser Erbe zurück, die Bibel im Geiste der Aufklärung.‹ In Theresienstadt sei aus Ruth Klüger, sagt sie, ein soziales Wesen geworden. Gespräche vor allem hätten dies bewirkt. Denn wo der Hunger regierte und die Angst herrschte, da sei die einzige Ablenkung von der Not und vom Elend eben das Gespräch gewesen.
Hier, an dieser Stelle ihres Buches ›weiter leben‹, hier, wo sie dankbar der Unterhaltungen und der Erörterungen gedenkt, bei denen sie, damals kaum elf oder zwölf Jahre alt, Zeuge sein durfte, hier erlaubt sich Ruth Klüger zum ersten und zum letzten Mal ein Loblied auf die Juden anzustimmen: ›Gut war nur, was die Juden daraus zu machen verstanden, wie sie diese Fläche von weniger als einem Quadratkilometer tschechischer Erde mit ihren Stimmen, ihrem Intellekt, ihrer Freude am Dialog, am Spiel, am Witz überfluteten. Was gut war, ging von unserer Selbstbehauptung aus.‹ Aber solche Erinnerungen sollen und können nichts beschönigen oder gar verklären: Nie vergißt Ruth Klüger, was Theresienstadt in Wirklichkeit war – es war ›der Stall, der zum Schlachthof gehörte‹.
In der Tat kam sie in den Schlachthof – nach Auschwitz also. Transportiert wurden die Häftlinge, wie man weiß, in Viehwaggons. Ja, das weiß man, nur stimme es nicht: Juden habe man ungleich schlimmer als das Vieh befördert. In den Waggons sei mit jeder Minute die Luft zum Atmen ungeeigneter geworden: ›Daher glaube ich eine

Ahnung zu haben, wie es in den Gaskammern gewesen sein muß.‹
Übrigens waren die Waggons nicht nur deshalb überfüllt, weil man so viele Menschen in sie hineingepfercht hatte, sondern weil den Juden befohlen wurde, ihr ganzes Gepäck mitzunehmen. Noch das letzte, was sie besaßen, sollte von ihnen selbst an die Rampe in Auschwitz gebracht werden.
Ruth Klüger war in jenem Teil des Lagers, der beinahe poetisch Birkenau hieß, dort, wo sich die Gaskammern und die Krematorien befanden. Aber es widerstrebt ihr zu beschreiben, was sie da erlebt hat. So werden ihre Mitteilungen, ihre fragmentarischen Berichte immer knapper: ›In Birkenau bin ich Appell gestanden und hab Durst und Todesangst gehabt. Das war alles, das war es schon.‹ Die Stilistin Ruth Klüger liebt das *Understatement* – doch ist es ein leidendes, ein schreiendes *Understatement*, sie liebt die vielsagende, die provozierende Knappheit. Aber sie bleibt uns Lesern keine Antwort schuldig, auch nicht auf die Frage, wie sie diese Hölle überleben konnte. Eine der Antworten lautet: ›Ich hab den Verstand nicht verloren, ich hab Reime gemacht.‹
Wer Auschwitz überlebt hat – und Auschwitz ist hier nicht als Bezeichnung eines Vernichtungslagers gemeint, sondern als Chiffre für den Massenmord –, der verdankt dies einem einzigen Umstand: dem Zufall. Nur sieht der Zufall jedes Mal anders aus. Im Juni 1944 werden in Birkenau Frauen für einen Arbeitstransport gesucht. Wohin man den Transport leiten werde – tatsächlich zur Arbeit oder in die Gaskammer –, das konnte man nicht wissen. Die kleine Ruth, gerade dreizehn Jahre alt, meldet sich und wird von dem SS-Mann abgelehnt, da sie zu jung und zu schwach ist. Sie stellt sich noch einmal an, in einer anderen Reihe, und hier riskiert es die diensttuende Schreiberin, auch sie ein Häftling in einer ebenso hoffnungslosen Lage wie alle anderen, ihren Posten für einen Augenblick zu

verlassen, um ihr zuzuflüstern: ›Sag, daß du fünfzehn bist.‹ Dies sei, schreibt Ruth Klüger, eine außerordentliche Tat gewesen – an einem Ort, der den Selbsterhaltungstrieb bis zur Kriminalität förderte, ›etwas Beispielloses und etwas Beispielhaftes‹. Als angeblich Fünfzehnjährige wird die jetzt vor einem anderen SS-Mann stehende Jüdin für den Transport akzeptiert.
Kein Zweifel, ihre Wohltäterin war die ihr ganz und gar unbekannte Schreiberin. Aber der Deutsche, der Nazi, ein gutgelaunter SS-Mann, der zuweilen, um seiner eintönigen Beschäftigung etwas Vergnügen abzugewinnen, manche der sich um Arbeit bewerbenden und natürlich ganz nackten Mädchen und Frauen Turnübungen vorführen ließ? Er, der vermutlich am selben Tag Hunderte, wenn nicht Tausende Juden in den Tod geschickt hat, er war auch ihr Wohltäter. Er war es, der ihr, weil es ihm gerade so gefiel, die Verlängerung des Lebens gegönnt hat. Dieser SS-Mann ist der einzige Nazi, der in Ruth Klügers Aufzeichnungen vorkommt. Denn nicht um die Mörder geht es in ihrem Buch, es geht vor allem um den Mord. Das Ganze beginnt mit dem Wort ›der Tod‹, und am Ende heißt es, es sei ›ein deutsches Buch‹. Ja, es ist ein deutsches Buch über den deutschen Mord.

Der Widerschein einer Epoche

Schildern willst du den Mord? So zeig mir den Hund auf dem Hofe: / Zeig mir im Aug von dem Hund gleichfalls den Schatten der Tat. Dieser Spruch Hugo von Hofmannsthals über die ›Kunst des Erzählens‹ erklärt auch Ruth Klügers Kunst. Sie stellt die Tat dar, indem sie ihre Schatten zeigt, ihre Folgen. Was ist denn eigentlich dieses Buch ›weiter leben‹? Ein Bericht, eine Reportage, eine Autobiographie, Gedanken und Erinnerungen, Episoden und Reflexionen? Wenn sich so viele Vokabeln aufdrängen, jede ihre Berechtigung haben mag und allesamt doch nicht ausreichen, dann behelfen wir uns gern mit dem Hinweis auf eine mittlerweile kaum definierbare und nicht zuletzt deshalb nach wie vor äußerst beliebte Mischform – auf den Roman also.

Haben wir es etwa mit einem Bildungs- oder Erziehungsroman zu tun, hätte das Buch auch – wie ein Kritiker meinte – ›Ruth Klügers Lehr- und Wanderjahre‹ betitelt sein können? Die Antwort hängt davon ab, was sich der Leser aus der Sache macht – in des Wortes schöner doppelter Bedeutung. Das soll heißen: Von einem geschlossenen Ganzen kann hier nicht die Rede sein, das Skizzenhafte und Fragmentarische dieses Buches wird von seiner Autorin nicht verheimlicht, sondern programmatisch betont. Und letztlich bietet sie uns vielleicht weniger als einen Roman, doch zugleich mehr: Ihre Aufzeichnungen enthalten Geschichten und Porträts, Episoden und Miniaturen, die unmerklich und wohl unbeabsichtigt ins Gleichnishafte übergehen und in denen, mag vieles nur in Umrissen erkennbar sein, die Epoche ihren Widerschein findet, einen düsteren, einen unheimlichen.

Da ist der Vater der Erzählerin, ein barmherziger Arzt und leichtsinniger Mensch, etwas unseriös und sehr liebenswert – wie eine Figur von Joseph Roth: ›Ich sehe meinen Vater in der Erinnerung höflich den Hut auf der Straße ziehen, und in der Phantasie sehe ich ihn elend verrecken, ermordet von den Leuten, die er in der Neubaugasse begrüßte, oder doch von ihresgleichen.‹ In den Gaskammern sind in den allerletzten Augenblicken die Stärkeren auf die Schwächeren getreten. Die Leichen der Männer waren daher stets oben, die der Kinder ganz unten: ›Ist mein Vater auf Kinder getreten, auf Kinder wie mich, als ihm der Atem ausging?‹

Liesel, das Proletarierkind, derb und vulgär, wußte immer, wo es langging. Einige Jahre älter als die Erzählerin, protzte sie in Wien mit ihrem Wissen in Sachen Menstruation und Sexualität. Und auch in Auschwitz protzte sie mit ihrem Wissen – diesmal vom Tod: ›Ihr Vater war im Sonderkommando. Er hat bei der Beseitigung von Leichen mitgeholfen.‹ Sie hat sich zu keinem Arbeitskommando gemeldet, denn sie wollte bei ihrem Vater bleiben, den sie buchstäblich mehr als das eigene Leben liebte. Der aber hatte keine Chancen, denn er wußte entschieden zuviel: ›Sie ist mit ihm vergast worden.‹

Da ist die verwirrte und von Paranoia bedrohte Mutter der Erzählerin, die ihr in Auschwitz-Birkenau erklärt, daß der elektrische Stacheldraht tödlich sei, und die ihr vorschlägt, zusammen in diesen Draht zu gehen: ›Wenn das Leben lieben und sich ans Leben klammern dasselbe ist, dann habe ich das Leben nie so geliebt wie im Sommer 1944, in Birkenau, im Lager B 2 B.‹ Im Alter sucht die Mutter wissenschaftliche Konferenzen auf, um von Historikern zu erfahren, wo und wie ihr Sohn gestorben sei. Die Tochter brüllt der Schwerhörigen ins Ohr: ›Riga, erschossen‹. Aber es ist vergeblich, die Mutter nimmt es überhaupt nicht zur Kenntnis, sie wiederholt ihre Frage immer wieder.

Da ist schließlich die Erzählerin selber, unruhig und ungeduldig und, laut eigenem Bekunden, zerfahren, eine Person, ›die leicht was fallen läßt, mit oder ohne Absicht, auch Zerbrechliches, Geschirr und Liebschaften‹. So ist das nun: Wer zum Tode verurteilt war, bleibt ein Gezeichneter. Wer zufällig verschont wurde, während man die Seinen gemordet hat, kann nicht im Frieden mit sich selber leben. Und gute Bücher schreiben? Fast will es scheinen, als stamme die Literatur, von der zu reden lohnt, meist von jenen, die es schwer mit sich selber haben, von den Gezeichneten.

Wenn es der Trotz war, der zu diesem Buch geführt hat, dann ist es der Stil, der es beglaubigt. Ruth Klüger, die Germanistin, die seit Jahrzehnten an amerikanischen Universitäten lehrt, hat gleichwohl die Kühnheit zu schreiben, wie ihr der Schnabel gewachsen ist. Ihre Sprache hat Charme, ihr Deutsch, österreichisch geprägt und wienerisch gefärbt, ist ganz unangestrengt, natürlich und anmutig, es verbindet Leichtigkeit mit Genauigkeit.

Zu den Figuren dieses Buches gehört auch ein junger deutscher Intellektueller in der Nachkriegszeit. Er irritiert sie, denn er hat keinen Kummer mit seiner Identität: ›Der war beheimatet in Deutschland, verwurzelt in einer bestimmten deutschen Landschaft … Der wußte, wo und wer er war.‹ An Identitäten fehlt es der Autorin dieses Buches nicht: eine jüdische hat sie und eine österreichische, eine deutsche und eine amerikanische. Doch ist nicht zu beneiden, wer sich auf so viele Identitäten berufen muß. Und es kommt noch eine fünfte Identität hinzu – und vielleicht ist es die einzige, auf die sich Ruth Klüger ganz verlassen kann. Die Sprache ist es, die deutsche, die Literatur ist es, die deutsche.«

Marcel Reich-Ranicki: Vom Trotz getrieben, vom Stil beglaubigt. Rede auf Ruth Klüger aus Anlaß der Verleihung des Grimmelshausen-Preises. In: Frankfurter Allgemeine Zeitung. Nr. 241. 16. Oktober 1993. – Mit Genehmigung von Marcel Reich-Ranicki, Frankfurt a. M.

V. Texte zur Diskussion

Im Anschluss an seine umstrittene Rede in der Frankfurter Paulskirche (1998) wurde Martin Walser (geb. 1927, im Text als »Christoph«, Ruth Klügers Freund aus Studientagen) immer wieder vorgeworfen, er operiere mit antisemitischen Stereotypen und leugne die Einzigartigkeit bzw. die Bedeutung des Holocaust auch für heutige Generationen. Walser hatte in seiner Ansprache die »Instrumentalisierung von Auschwitz« und die angebliche »Dauerrepräsentation unserer Schande« als »Moralkeule« bezeichnet.[12] Einen weiteren Höhepunkt erreichten die Auseinandersetzungen um Walsers Thesen und Ansichten nach der Veröffentlichung seines Romans *Tod eines Kritikers* (Frankfurt a. M. 2002), in dem ein jüdischer Literaturrezensent – eine Figur, die deutlich erkennbar dem Feuilletonisten Marcel Reich-Ranicki nachempfunden wurde – scheinbar ermordet wird. Im Zusammenhang mit dieser Figur spielt Walser mit antisemitischen Vorurteilen und Klischees, was eine heftige öffentliche Debatte nach sich zog. Auch Ruth Klüger schaltete sich in diese Diskussion ein und richtete an ihren langjährigen Freund Martin Walser einen offenen Brief mit dem Titel »›Siehe doch Deutschland‹, Martin Walsers ›Tod eines Kritikers‹« der nachfolgend wiedergegeben wird:

»Lieber Martin,
wäre *Tod eines Kritikers* doch nur ein misslungener Roman! Das könntest Du Dir schon leisten, nach all den vielgelesenen und gefeierten Werken, die Du geschrieben hast, und es würde Deinen Ruf kaum beeinträchtigen. Doch das

12 Die Rede ist dokumentiert in: Börsenverein des Deutschen Buchhandels (Hrsg.), *Friedenspreis des Deutschen Buchhandels 1998, Martin Walser. Ansprachen aus Anlaß der Verleihung*, Frankfurt a. M. 1998. Online ist der Text zu finden auf den Seiten des Deutschen Historischen Museums: http://www.dhm.de.

Gift, das Dir hier aus der Feder floss, ist Dir nicht einfach zu einem schlechten, es ist eher zu einem üblen Buch geronnen.
Wenn ich es richtig lese, so handelt Dein letztes Buch zwar auf erster Ebene von einer Abrechnung mit Korruption und Unterhaltungssucht im deutschen Literaturbetrieb. Aber das ist nicht alles, das wäre zu kurz gegriffen. Das übergreifende Thema, Du sagst es mehrmals, ist Macht und Niederlage, es geht um Sieger und Besiegte. ›Besiegt, das heißt, davon erholst du dich nicht mehr. Der Besiegte schämt sich … Du kannst andere beschuldigen, aber du weißt: du allein bist die Ursache deiner Niederlage. Siehe doch Deutschland. Abgesehen davon, dass es eben überhaupt keine Rolle spielt, warum du besiegt bist.‹
Also nicht nur von Schriftstellern und Kritikern schreibst Du, sondern stellvertretend ist auch das Vaterland, das einstens besiegte, das sich noch immer schämt, miteinbezogen, mitgedacht. Du hast, nicht zum ersten Mal, ein Deutschlandbuch geschrieben. Und da soll es keine Rolle spielen, wenn ein ausländischer oder zurückgekehrter, auf jeden Fall vom Ungeist beseelter, Kritiker ein Jude ist?
Als eine Jüdin, die sich beruflich mit deutscher Literatur befasst und sich mit Dir und Deiner Familie befreundet glaubt, fühle ich mich von Deiner Darstellung eines Kritikers als jüdisches Scheusal betroffen, gekränkt, beleidigt. Du würdest sicherlich antworten: Aber du bist doch nicht gemeint, ich hab doch nichts gegen Juden, nur gegen diesen einen, illegitime Macht Ausübenden, der zufällig Jude ist. Doch der Zufall hat zwar einen Platz in der Wirklichkeit, aber nicht in der Literatur. Sonst bräuchten wir die Literatur gar nicht.

Kürzere und zerknautschte Nasen

Natürlich muss sich der Verfasser eines Romans, auch eines realistischen, gewiss eines satirischen, nicht an die wirkliche Vorlage halten, oder doch nur so, dass die Zielscheibe der Satire erkennbar bleibt. Eine Karikatur ist keine Fotografie, das Opfer wird sich umsonst beschweren, dass es in Wahrheit eine kürzere Nase und eine höhere Stirne hat. Der Satiriker wählt, was ihm bedeutend erscheint. Verantwortlich ist er dann allerdings für die Bedeutung. Und wenn er einen widerlichen Kritiker als Juden zeichnet, dann darf man wohl fragen, ob er damit so etwas wie die zerstörende Macht der Juden im deutschen zeitgenössischen Geistesleben meint.

Die schnelle abwehrende Antwort wäre: Keineswegs, Martin Walsers Ehrl-König ist deshalb Jude, weil Marcel Reich-Ranicki nun einmal Jude ist. Doch Realismus in der Literatur ist eben nicht Abklatsch der Wirklichkeit, sondern ihre Interpretation. Der Roman *Effi Briest* wird nicht unrealistischer, wenn man weiß, dass Fontanes Vorbild nicht aus Kummer starb und viel älter geworden ist als die Romanheldin. Verantwortlich ist Fontane nicht für das Frauenleben, das ihn inspiriert hat, wohl aber für die Aussage seines Werks über die gesellschaftlichen Zwänge seiner Zeit.

Aber, sagen Du und Deine Verteidiger, es ist doch nur eine Komödie, nur eine Farce, warum nehmt ihr diesen kleinen Roman so ernst? Als ob Komödien und schlechte Witze nicht seit eh und je besonders beliebte Vehikel der Verhöhnung gewesen wären! Aber es wird ja niemand ermordet, sagst Du, der Kritiker kehrt heil von seinem Abenteuer mit der blonden deutschen Adligen zurück, deren Nase er vorher, geil wie er ist, vor allen Leuten obszön zerknautscht hat, und wird am Ende noch selbst in England in den Adelsstand erhoben (denn er hat ja so viele Staatsbürgerschaften). Der Judenmord, wie er in Deinem Buche steht, sagst Du, war immer nur eine Phantasie in den Köpfen Deiner fiktiven Schriftsteller, selbstredend Nichtjuden, die der jüdische Kritiker geschädigt hatte. Ich bitte euch, scheint der Text zu sagen, wir sind doch kein Mordgesindel. Lieber Martin, vor dem Hintergrund der deutschen

Geschichte, die sich nun einmal nicht ausklammern lässt, ist die komische Wiederkehr des nur scheinbar ermordeten Juden noch schlimmer als ein handfester Krimi mit Leiche gewesen wäre.

Apropos Krimi. Vor fünfzehn Jahren hast Du (zusammen mit Asta Scheib) das Drehbuch zu einem Fernseh-Tatort, betitelt *Armer Nanosh*, geschrieben, das bei Fischer auch als Taschenbuchkrimi erschien. Der spielte im ›Zigeunermilieu‹, handelte also weitgehend von Roma und Sinti. Diese hast Du damals derart stereotyp dargestellt, dass der Zentralrat der Roma und Sinti sich beschwerte; doch weder Du noch der NDR hörten den Betroffenen zu. Du drehtest damals sogar den Spieß um und meintest, jetzt werde ›Jagd auf Schriftsteller‹ gemacht. Die Einwände der Betroffenen, die doch eigentlich besser wissen mussten als Du, ob sie sich verletzt fühlten und wo es weh tat, stießen auf keine Sympathie bei Dir. Du behauptetest starrköpfig, solange der Täter in Deiner Geschichte kein Roma sei, wäre die Darstellung nicht diskriminierend. So auch jetzt: der Jude wird nicht ermordet, ergo …

Dabei ist gar keine Kombination von Figur und Handlung tabu. Zum Beispiel, in Günter Grass' letztem Roman, *Im Krebsgang*, begeht ein Jude einen Mord. Grass' Darstellung ist weder anti- noch philosemitisch, sie ist vorurteilsfrei und daher nicht zu beanstanden. Aber der Antisemitismus kommt ja in Deinem Buch gar nicht vor, sagst Du. Eben. Er sollte nämlich vorkommen. Hättest Du ihn thematisiert, so würde man ihn Dir nicht zum Vorwurf machen können. Im *Tod eines Kritikers* verdirbt der Jude (oder der Halbjude oder der vermeintliche Jude, auf jeden Fall der mit dem Etikett ›Jude‹) den Schriftstellern die Preise und dem Publikum den Geschmack, aber, Gott behüte, keiner würde das ›den Juden‹ ankreiden. Indessen wird es sich ja herumgesprochen haben, und nicht nur unter Juden und Sozialwissenschaftlern, dass die Abneigung gegen Juden als Gruppe in Deutschland hie und da vorkommt. Dafür bist Du nicht verantwortlich, auch wenn Dein umstrittenes Buch in die Möllemann-Debatte[13] hineinplatzt und daher zu einer denkbar unguten Zeit herauskommt. Aber eine private Angelegenheit ist so ein Buch eben auch nicht.

Ein Deutschlandbild mit bösartigen Juden – oder meinetwegen dem bösen Juden –, aber ohne Judenfeindlichkeit, ist, schlicht ausgedrückt, verlogen. Verlogene Darstellung der Wirklichkeit in der Fiktion wird gemeinhin als Kitsch bezeichnet. Wenn sie in den ausgewogenen Sätzen mit dem unverkennbaren Rhythmus eines echten Schriftstellers daherkommt, dann nennt man sie Edelkitsch, auch das ein gutes deutsches Wort.

Wie sollen wir nun das komplizierte Gefühlsbündel lesen, das Dein Protagonist, der Schriftsteller Hans Lach, alias Mystikforscher Landolf, für seinen Peiniger hegt, und das ja auch positive Regungen nicht ausschließt? Gerade in seiner Unterschwelligkeit folgt Deine Darstellung einem geradezu klassischen Muster der Diskriminierung. Der Mann, dem unsere Sympathie gehört, nähert sich blauäugig (im metaphorischen wie im rassistischen Sinne) und zutraulich, wie er nun einmal von Natur aus ist, dem Andersartigen und wird von diesem betrogen, enttäuscht, zurückgestoßen. Landolf versenkt sich in den Konstanzer Mystiker Seuse, sein alter ego Hans Lach schweigt sich aus. Ichverleugnung, Stille, Nachdenken, Kontemplation, Askese, Gelassenheit: das ist der Gegenpol zu dem Schwätzer und geistigen Giftmischer Ehrl-König. Gebirge und Einsamkeit mit ehrlichen Gefühlen und Gedanken einerseits, der Gerüchtekessel der Großstadt andererseits, wo der Fremde, der

13 Debatte um den damaligen Vorsitzenden der FDP Nordrhein-Westfalen, Jürgen W. Möllemann (1945–2003), der mit einem Flugblatt zur Bundestagswahl 2002 heftig den israelischen Ministerpräsidenten Ariel Sharon und den damaligen stellvertretenden Vorsitzenden des Zentralrats der Juden in Deutschland, Michel Friedman, angriff.

Jude, mit seinen Mitläufern herrscht und wo mißgünstig und sinnentleert dahergeredet wird.
Der deutsche Prototyp für diese Konstellation ist in Wilhelm Raabes *Der Hungerpastor* von 1864 zu finden, ein Roman, der auch von zwei Intellektuellen handelt, von denen der eine gottergeben und wahrheitssuchend ist, der andere, der Jude, nur geschickt, gescheit und auf seinen Vorteil bedacht. Der Gute lässt sich von dem Schlechten arglos ausnützen und merkt erst spät, mit wem er es zu tun hat. Letzterer widmet sich schließlich unsauberen Spionagegeschäften in Paris, während der Christ ein arbeitsamer und liebevoller Pastor in einem armen aber naturverbundenen Provinznest wird. Der Roman, der abwechselnd von Bosheiten und Sentimentalitäten strotzt, wurde enorm populär und hat seinem Autor eine Stange Geld eingebracht.

Der gute alte Risches von 1910

Raabe, der ja, wie Du, ein bedeutender Autor war und sich nicht für einen Antisemiten hielt (so wenig wie sein Vorgänger Gustav Freytag), bedauerte zwar, was er angerichtet hatte, erfand später auch noch zur Wiedergutmachung ein paar dürftige positive jüdische Frauengestalten, aber der Text vom *Hungerpastor* blieb unverändert und hat viel Schaden in den Köpfen seiner Leser angerichtet. Will sagen: Wir reden hier von analysierbaren Texten. Die Selbsteinschätzung der Dichter und ihre unerforschlichen Seelen stehen auf einem anderen Blatt.
Lieber Martin, seit wir uns vor 55 Jahren kennenlernten, ist viel Wasser in den Bodensee geflossen, und nicht nur heilig-nüchternes, für Hölderlins Schwäne zum Tunken geeignetes[14]. Damals war die große Mordwelle gerade vorbei, und Deutschland stand am Anfang der großen Gleichgültigkeitswelle. Darauf folgte die triefende Philosemitis-

14 Anspielung auf Hölderlins Gedicht *Hälfte des Lebens.*

mus-Welle. Jetzt sieht es hierzulande nach einem Rückfall aus in das, was wir Juden in der Nazizeit ironisch wehmütig ›den guten alten Risches von 1910‹ nannten, nämlich die gemäßigte Judenverachtung weiter Bevölkerungsschichten aller Klassen, mit der sich (scheinbar) leben ließ. In Deiner Friedenspreisrede hast Du über eine Moralkeule gejammert, mit der Ungenannte Dich und andere Deutsche bedrohten. Jetzt spielst du weiter ›Sieger und Besiegte‹, und dabei ist Dir selber unversehens die von Dir heraufbeschworene Keule in die Hände gerutscht, aber wo, bitte, steckt denn hier die Moral?
In alter Freundschaft
Ruth«

Ruth Klüger: »Siehe doch Deutschland«. Martin Walsers »Tod eines Kritikers«. In: Frankfurter Rundschau. Nr. 146. 27. Juni 2002. S. 9. – Mit Genehmigung von Ruth Klüger, Göttingen.

Den Umgang mit den Gespenstern der Vergangenheit, mit den Geistern der Opfer thematisiert Ruth Klüger in *weiter leben* häufig (vgl. z. B. 28,18–20 / 30,12–14; 71,14 / 71,14). Auch der folgende Text hat ein Gespenst zum Inhalt – und widmet sich zugleich der (in einem anderen Sinne gespensterhaften) Erinnerungskultur der leeren Phrasen und eingeübten Gedenkrituale. Unter dem Titel »Dichten über die Shoah. Zum Problem des literarischen Umgangs mit dem Massenmord« hat ihn Ruth Klüger erstmals in einem Vortrag 1992 vorgestellt:[15]

»Wenn ich eine frei erfundene Geschichte zum Thema der jüdischen Katastrophe schreiben müßte, so würde ich keinen realistischen Rahmen wählen. Ich würde eine Gespenstergeschichte erfinden, denn ein Gespenst ist etwas Ungelöstes, besonders ein verletztes Tabu, ein unverarbeitetes

15 Erstmals abgedruckt in: Gertrud Hardtmann (Hrsg.), *Spuren der Verfolgung. Seelische Auswirkungen des Holocaust auf die Opfer und ihre Kinder*, Gerlingen 1992, S. 221.

Verbrechen. Hier ist der Anfang zu einer solchen Gespenstergeschichte, den ich zum beliebigen Weiterspinnen freigebe.
In einen Hörsaal kommt der Geist eines der vielen Erschlagenen, angezogen vom Thema, erfreut, daß seiner gedacht wird. Er setzt sich aufs Podium vorne hin, läßt die Beine baumeln, wie die Demonstranten auf der Berliner Mauer. Das Publikum starrt ihn mit glasigen Augen an, ohne ihn zu sehen. Der oder die Vortragende spricht vom Unsäglichen, vom Unvorstellbaren, vom Unaussprechlichen. Das Gespenst fragt sich, warum der an ihm verübte Mord unsäglich ist. Es gäbe doch ein deutsches Wort dafür: Genickschuß. Und warum unvorstellbar, wenn es doch keineswegs ein Mysterium war, sondern eine blutige Sauerei, am hellichten Tag.
Das Gespenst merkt langsam, daß von ihm gar nicht die Rede ist, sondern nur von der Erschütterung des Sprechers, der seine Fähigkeit zum Mitgefühl dem Publikum zur Schau stellt. Und während vom Pult her die Rede ist von der teuflischen Umnachtung der Mörder, denkt das Gespenst an seinen sonnenhellen Todestag und an die Schützen, die ganz gewöhnlich und keine Dämonen waren. Ich denke mir, daß mein Gespenst langsam merkt, daß das Publikum es mit glasigen Augen anstarrt, ohne es zu sehen. Es gibt eben nicht viele Geisterseher. Aber einer sieht es doch, ein gepflegter Herr, Jahrgang 1920, der in der hinteren Reihe sitzt, einer der damaligen Schützen. Der sieht ihn.
Und dann würde ich noch eine junge Studentin erfinden, ersten Semesters, die treuherzig und aus einer echten Beunruhigung über die Parteiabzeichen in der Schatulle auf Großvaters Schreibtisch zu uns gekommen ist. Die Worthülsen des Sprechers haben sie eingeschläfert, trotz ihrer standhaften Bemühungen, gut zuzuhören. Sie sieht durch geschlossene Augenlider unser geknicktes und gekränktes Gespenst den Saal verlassen. Sie steht auf und folgt ihm;

der gepflegte Herr aus der hinteren Reihe tut dasselbe, durch eine andere Tür. Der oder die Vortragende hat das Gespenst natürlich nicht wahrgenommen und ärgert sich über die beiden Zuhörer, die den Saal vorzeitig verlassen haben.«

Zit. nach: Irmela von der Lühe: Das Gefängnis der Erinnerung – Erzählstrategien gegen den Konsum des Schreckens in Ruth Klügers *weiter leben*. In: Bilder des Holocaust. Literatur – Film – Bildende Kunst. Hrsg. von Manuel Köppen und Klaus R. Scherpe. Köln [u. a.]: Böhlau, 1997. S. 43. –

Unter der Überschrift »Die Fragwürdigkeit von Autobiographie« setzt sich der Literaturwissenschaftler WILLI HUNTEMANN besonders mit den Grenzen autobiografischen Erzählens über den Holocaust auseinander. Ruth Klügers *weiter leben* erscheint ihm dabei als Paradigma für einen gelungenen Versuch, die aufgezeigten Probleme zu bewältigen:

»Nimmt man die Autobiographie als literarisches Genre der rückschauenden Erzählung des eigenen Lebens oder zumindest von Lebensabschnitten, so ist zwar – gemäß der Theorie Philippe Lejeunes vom ›autobiographischen Pakt‹[16] – Wahrhaftigkeit das Gebot und der Anspruch, unter dem auch der Leser den Text liest, wenn er auch in der Regel kaum über die Möglichkeit der Überprüfung verfügt. Die Autobiographie ist aber mehr als ein bloßes Lebenszeugnis, sondern der Autor, der zugleich Erzähler und Hauptfigur ist, liefert auch eine Sinndeutung seines Lebens. Das autobiographische Interesse am eigenen Leben in seiner Subjektivität und Einzigartigkeit gerät nun in Konflikt mit dem Holocaust als Kollektivschicksal; die Erinnerungen eines Überlebenden müssen unwillkürlich

16 Vgl. Philipp Lejeune, *Der autobiographische Pakt*, Frankfurt a. M. 1994.

auch immer Zeugnis ablegen vom Schicksal der unzähligen anderen, wovon nur der kleinste Teil überlebt hat. Indem er von sich schreibt, schreibt er auch über andere. Die Rolle des Autors als Autobiograph mit Deutungslizenz tritt zum einen in Spannung zu seiner Rolle als Geschichtszeuge, der nur wahrheitsgemäß berichten, aber nicht deuten soll, wenn nicht das kollektive Geschehen zur bloßen Kulisse werden soll. Zum andern tritt sie aber auch in Spannung zu seiner Rolle als Opfer, das nicht erfährt, sondern dem etwas widerfahren ist. Die Autobiographie als literarische Form par excellence, die der Subjektivität im starken Sinne, d. h. als selbstbestimmter Lebensentwicklung gewidmet ist und sich historisch im Kontext von deren Herausbildung entwickelt hat, wird fragwürdig, wenn das zu erzählende Leben zum einen nur im Kontext eines kollektiven Schicksals und nicht als individuelles Signifikanz gewinnt und zum andern äußerster Fremdbestimmung unterliegt. Anders gesagt: Ein Opfer kann wohl sich erinnern und Zeugnis ablegen von dem, was ihm widerfahren ist, aber kein autobiographischer Autor im emphatischen Sinne sein, da es nicht Urheber seiner Erfahrungen ist. Zeugenschaft und Stellvertreterschaft schränken die Urheberschaft ein. Nun ist im bloßen Umstand, dass ein Überlebender berichtet, trivialerweise eine Sinnsuggestion immer schon enthalten: dass sich nämlich auch dieser Hölle entrinnen lässt. Nur ein Schreiben in Tagebuchform, also mit kurzem zeitlichen Abstand zwischen Erleben und Erzählen, entgeht dieser Suggestion. Es ist näher am Geschehen und kann auf rückschauende Deutung, wie sie der Autobiographie eigen ist, verzichten. [...] Ruth Klüger formuliert das Dilemma so: ›Ich sagte, das Problem läge darin, dass der Autor am Leben geblieben ist. Daraus ergibt sich für den Leser der scheinbare Anspruch auf eine Gutschrift, die er von dem großen Soll abziehen kann. Man liest und denkt etwa: Es ist doch alles glimpflich abgelaufen. Wer schreibt, lebt. Der Bericht, der eigentlich nur unternommen wurde, um Zeugnis abzulegen von der großen Ausweglosigkeit, ist dem Autor unter der Hand zu einer *escape story* gediehen.‹ [139,8–15 / 140,9–16.] Diese Thematisierung ist symptomatisch für die Erzählstrategie der Autorin. Diese Strategie möchte ich nun daraufhin untersuchen, inwieweit sie die eben umrissenen Probleme löst, mit anderen Worten: inwieweit sie die Frage beantwortet: Wie lässt sich ›autobiographisch‹ (das Wort im vollen literarischen Sinne verstanden) über den Holocaust schreiben?

Eine Antwort wäre: Indem man nicht nur darüber schreibt. Anders als die autobiographischen Texte von Koeppen, Kertész und Wilkomirski ist der Schilderung der Lagerzeit nur wenig mehr als ein Drittel gewidmet (der zweite Teil ›Die Lager‹), wovon wiederum nur ein Drittel auf das Lager Auschwitz-Birkenau entfällt. Die anderen Kapitel sind der Jugend in Wien sowie der Flucht und dem Emigrantendasein in den USA gewidmet. Die Deportationszeit erscheint somit als nur ein, wenn auch zentraler Abschnitt in der Jugend der Autorin. Dieser Jugend gilt, wie auch der Untertitel verrät, das Erzählinteresse, dem ›weiter leben‹ im Zeichen des Lagerschicksals. Die Lagererfahrung wird in den Kontext von ›normalbiographischen‹ Erfahrungen gerückt, mit ihnen verwoben, wodurch die autobiographische Erzählung mehrdimensional wird und die Autorin der von ihr selbst erkannten Gefahr einer *escape-story* entgegenwirkt. Es ist auch ein Buch über eine Mutter-Tochter-Beziehung (deren Geschichte als Faden hindurchläuft), auch ein Buch über Adoleszenz und auch über jüdische wie weibliche Identität. (Vielleicht hat – nebenbei gesagt – gerade diese Mehrschichtigkeit zum überraschenden Erfolg des Buches beigetragen – es wurde zu einem Bestseller, der viele Auflagen und Ausgaben erfahren hat.) Die lebensgeschichtliche Verarbeitung dieser Jugendzeit im KZ ist fast noch wichtiger als die Schilderung der prägenden Kernerlebnisse.

Dies nimmt nicht wunder, hat doch die Autorin ihre Erinnerungen zu einer Zeit verfasst und publiziert (Anfang der 90er Jahre), als das faktisch-dokumentarische Interesse literarisch und publizistisch längst gesättigt war. Diese Verschiebung des Erzählinteresses schlägt sich auch in der erzählerischen Konstruktion nieder. Es handelt sich um eine auktoriale zweischichtige Ich-Erzählung mit starker Dominanz des erzählenden gegenüber dem erlebenden Ich. Der Erinnerungsgestus ist durchgängig präsent, indem ständig zwischen der erlebten Vergangenheit und der Gegenwart des Schreibens samt den damit verbundenen Horizonten des Ich hin- und hergesprungen wird. Es ergibt sich somit kein kontinuierlicher epischer Geschehenszusammenhang – szenisch erzählte Episoden sind eher seltene Einsprengsel –, sondern eine raffende Schilderung von Wiederkehrendem. Und auch diese wird noch unterbrochen durch Zeitsprünge und auktoriale Vorwegnahmen. Dadurch wird eine illusionsstörende Wirkung erzielt und den »Behinderungen und Brüche[n] [...], die unüberwindbar und nicht vermittelbar sind«[17] erzählstilistisch Rechnung getragen. Die Zweischichtigkeit der Erzählkonstruktion schafft aber auch die Möglichkeit zu einem *Metadiskurs*, der die Geschehensdarstellung immer wieder unterbricht und sie reflektierend begleitet.

Dieser Metadiskurs nimmt die Form einmal der Thematisierung des Schreibprozesses und zum andern eines Dialoges mit der Welt der Außenstehenden an. Die Autorin schafft sich zu diesem Zweck implizite Dialogfiguren wie immer wieder die ›Leute‹, bestimmte Kollegen und Bekannte, deren Ansichten über jüdisches Schicksal und den Umgang damit sie kommentiert, sowie reale Leserinnen

17 Irmela von der Lühe, »Das Gefängnis der Erinnerung. Erzählstrategien gegen den Konsum des Schreckens in Ruth Klügers *weiter leben*«, in: Manuel Köppen / Klaus R. Scherpe (Hrsg.), *Bilder des Holocaust. Literatur – Film – Bildende Kunst*, Köln [u. a.] 1997, S. 36.

und Leser, auf deren Feed-back während der Manuskriptentstehung sie wiederum eingeht. Er gibt sogar explizite Leseranreden an ›euch, meine Leser‹ [139,17 / 140,18]. Dadurch wird, wie von der Lühe schreibt, ›Erzählung und Deutung des eigenen Lebens durch Reflexion auf die Fremdsicht und die Fremddeutung erweitert; der literarische Raum für die Denk- und Darstellungsprobleme der Shoah wird damit ganz bewusst vergrößert‹.[18] Dieser implizite Dialog ist eingebettet in Reflexionen zu den virulenten ästhetisch-moralischen Fragen und Problemen des allgemeinen Holocaust-Diskurses. Ich kann hier nur Stichworte nennen: die Frage der literarischen Darstellung (neben dem Thema ›Gedichte nach Auschwitz?‹ kommentiert die Autorin vorangegangene Autoren und Texte), kritische Bemerkungen zur Gedenk- und Erinnerungskultur in Medien und Öffentlichkeit, das moralisch-politische Thema von Schuld, Versöhnung und Verzeihung sowie ›Vergangenheitsbewältigung‹. Auf diese Weise gewinnt der Text eine Dimension, die über seine dokumentarische Funktion als Zeugenbericht hinausgeht und der Darstellung eine selbstreflexive Ebene zukommen lässt, ohne dass das authentische Substrat bzw. die Wirklichkeitsreferenz oder auch der Gestus lebendigen Erzählens darunter leiden würden. Ich sehe das als einen Hinweis darauf, dass ein gleichsam ›naives‹, ungebrochenes und unreflektiertes Erzählen über den Holocaust nicht möglich ist, um so weniger, als es schon eine Tradition literarischer Verarbeitung samt kanonischen Texten gibt, die gerade Ruth Klüger ständig mitreflektiert. Es gibt aber auch den Topos der Unsagbarkeit bzw. Undarstellbarkeit des Holocausts, gegen den sie anschreibt: ›Das Experimentelle im Duktus ihrer Autobiographie liegt denn auch im antinormativen Bemühen um

18 Ebd., S. 37.

Darstellung, nicht in der beredten Beschwörung der Unmöglichkeit, Unsagbarkeit oder gar prinzipiellen Undarstellbarkeit des Schreckens‹[19].«

Willi Huntemann: Zwischen Dokument und Fiktion. Zur Erzählpoetik von Holocaust-Texten. In: arcadia. Zeitschrift für Allgemeine und Vergleichende Literaturwissenschaft 36 (2001) S. 30–34. – Mit Genehmigung von Willi Huntemann, Toruń (Polen).

19 Ebd., S. 33.

VI. Literaturhinweise

1. Ausgaben

weiter leben. Eine Jugend. Göttingen: Wallstein Verlag, 1992 [u. ö.]. [Erstausgabe.]
weiter leben. Eine Jugend. München [u. a.]: Deutscher Taschenbuch Verlag, 1996 [u. ö.]. 12. Aufl. 2004.

2. Literaturwissenschaftliche Werke von Ruth Klüger (Auswahl)

Katastrophen: Über deutsche Literatur. Göttingen 1994.
Frauen lesen anders: Essays. München 1996.
Knigges ›Umgang mit Menschen‹: eine Vorlesung. Göttingen 1996.
Von hoher und niedriger Literatur. Göttingen 1996.
Dichter und Historiker: Fakten und Fiktionen. Wien 2000.
Schnitzlers Damen. Weiber, Mädeln, Frauen. Wien 2001.
Zwickmühle oder Symbiose: War Heinrich Heine ein Geisteswissenschaftler? Heidelberg 2003.

3. Forschungsliteratur über *weiter leben* und Ruth Klüger

Braese, Stephan / Gehle, Holger (Hrsg.): Ruth Klüger in Deutschland. Bonn 1994.
Heidelberger-Leonard, Irene: Ruth Klüger, *weiter leben. Eine Jugend.* München 1996. (Oldenbourg Interpretationen. 81.)
– Ruth Klüger, *weiter leben* – ein Grundstein zu einem neuen Auschwitz-›Kanon‹? In: Stephan Braese / Holger Gehle [u. a.] (Hrsg.): Deutsche Nachkriegsliteratur und der Holocaust. Frankfurt a. M. [u. a.] 1998. S. 157–169.
Hessing, Jakob: Spiegelbilder der Zeit: Wolfgang Koeppen und Ruth Klüger. In: Stephan Braese (Hrsg.): In der Sprache der Täter. Opladen [u. a.] 1998. S. 103–115.
Jabłkowska, Joanna: Zwei Autobiographien auf zwei Polen der ›Jahrhunderterfahrung‹. Martin Walsers *Ein springender Brun-*

nen und Ruth Klügers *weiter leben*. In: Izabela Sellmer (Hrsg.): Die biographische Illusion im 20. Jahrhundert. (Auto-)Biographien unter Legitimierungszwang. Frankfurt a. M. [u. a.] 2003. S. 45–58.

Lühe, Irmela von der: Das Gefängnis der Erinnerung. Erzählstrategien gegen den Konsum des Schreckens in Ruth Klügers *weiter leben*. In: Manuel Köppen / Klaus R. Scherpe (Hrsg.): Bilder des Holocaust. Literatur – Film – Bildende Kunst. Köln [u. a.] 1997. S. 29–45.

Schubert, Katja: Zeitvertreib und Zauberspruch: zu den Gedichten in *weiter leben* von Ruth Klüger. In: Terror und Kunst. Dachau 2002. (Dachauer Hefte. 18.) S. 109–121.

4. Werke über »Literatur und Holocaust« (Auswahl)

Arnold, Heinz Ludwig (Hrsg.): Literatur und Holocaust. München 1999.

Dresden, Sem: Literatur und Holocaust. Frankfurt a. M. 1997.

Feuchert, Sascha (Hrsg.): Holocaust-Literatur. Auschwitz. Stuttgart 2000. (Arbeitstexte für den Unterricht. 15047.)

Kiedaisch, Petra (Hrsg.): Lyrik nach Auschwitz? Adorno und die Dichter. Stuttgart 1995.

Köppen, Manuel / Scherpe, Klaus R. (Hrsg.): Bilder des Holocaust. Literatur – Film – Bildende Kunst. Köln [u. a.] 1997.

Reiter, Andrea: ›Auf dass sie entsteigen der Dunkelheit‹. Die literarische Bewältigung von KZ-Erfahrung. Wien 1995.

Rosenfeld, Alvin H.: Ein Mund voll Schweigen. Literarische Reaktionen auf den Holocaust. Göttingen 2000.

Schlant, Ernestine: Die Sprache des Schweigens. Die deutsche Literatur und der Holocaust. München 2001.

Young, James E.: Beschreiben des Holocaust. Darstellung und Folgen der Interpretation. Frankfurt a. M. 1997.

5. Zur Geschichte des Holocaust

Benz, Wolfgang: Der Holocaust. München 1997.

Broszat, Martin: Nationalsozialistische Konzentrationslager 1933–1945. München [5]1989.

Browning, Christopher R.: Der Weg zur ›Endlösung‹: Entscheidungen und Täter. Bonn 1998.
Gilbert, Martin: Endlösung. Die Vertreibung und Vernichtung der Juden. Ein Atlas. Reinbek 1995.
Gutman, Israel [u. a.] (Hrsg.): Enzyklopädie des Holocaust. Die Verfolgung und Ermordung der europäischen Juden. 3 Bde. Berlin 1993. Dass. [4 Bde.] München/Zürich 1995. [2]1998.
Hilberg, Raul: Die Vernichtung der europäischen Juden. Die Gesamtgeschichte des Holocaust. Frankfurt a. M. [6]1994.
Kogon, Eugen: Der SS-Staat. Das System der deutschen Konzentrationslager. München [6]1988.
Lichtenstein, Heiner / Romberg, Otto R. (Hrsg.): Täter – Opfer – Folgen. Der Holocaust in Geschichte und Gegenwart. Bonn 1995.
Longerich, Peter: Politik der Vernichtung. Eine Gesamtdarstellung der nationalsozialistischen Judenverfolgung. München 1998.
Sofsky, Wolfgang: Die Ordnung des Terror. Das Konzentrationslager. Frankfurt a. M. 1997.

6. Wichtige Websites zum Thema

http://www.fritz-bauer-institut.de (Fritz Bauer Institut – Studien- und Dokumentationszentrum zur Geschichte und Wirkung des Holocaust)
http://www.his-online.de (Hamburger Institut für Sozialforschung)
http://www.holocaust-education.de (Lernen aus der Geschichte – Projekte zu Nationalsozialismus und Holocaust in Schule und Jugendarbeit)
http://www.holocaustliteratur.de (Arbeitsstelle Holocaustliteratur, Justus-Liebig-Universität Gießen)
http://www.ifz-muenchen.de (Institut für Zeitgeschichte, München)
http://www.shoa.de (Arbeitskreis Shoa.de e.V.)
http://www.topographie.de (Stiftung Topographie des Terrors / Topography of Terror Foundation – Internationales Dokumentations- und Begegnungszentrum, Berlin)
http://www.tu-berlin.de/~zfa (Zentrum für Antisemitismusforschung, Technische Universität Berlin)

VII. Abbildungsnachweis

9 Umschlag der Originalausgabe des Wallstein Verlags (1992). – Mit Genehmigung des Wallstein Verlags, Göttingen.

65 Foto vom Eingangstor des KZs Auschwitz mit dem Schriftzug »Arbeit macht frei« (Archiv Sascha Feuchert).

87 Wilhelm Busch, Illustration des Buchstabens Z im *Naturgeschichtlichen Alphabet* (1865). In: W. B.: Sämtliche Werke. Hrsg. von Otto Nöldeke. München: Braun & Schneider, 1943. Bd. 2: Münchener Bilderbogen S. [48].

112 Karte der Gesamtanlage des KZs Auschwitz. In: Enzyklopädie des Holocaust. Die Verfolgung und Ermordung der europäischen Juden. Hrsg. von Israel Gutmann [u. a.]. Bd. 1. München/Zürich: Piper, 1990. S. 108. – © 1990 Sifriat Poalim Publishing House LTD, Tel Aviv (Israel).

122 Reproduktion des Artikels »Ein Kind schreibt aus Auschwitz« im *Bayrischen Tag*, 23. Juni 1945, S. 2. – Mit Genehmigung der Bayerischen Staatsbibliothek München.

125 Porträtbild Ruth Klügers. – © Brigitte Friedrich, Köln.

Ruth Klüger
im Wallstein Verlag

weiter leben
Eine Jugend

286 S., geb., Schutzumschlag
ISBN 3-89244-036-0

Katastrophen
Über deutsche Literatur

230 S., geb., Schutzumschlag
ISBN 3-89244-056-5

Salomon Hermann Mosenthal
Erzählungen aus dem
jüdischen Familienleben

Hg. mit einem Nachwort von Ruth Klüger

224 S., 9 Abb., geb., Schutzumschlag
ISBN 3-89244-201-0

in Vorbereitung:

Fred Wander
Der siebente Brunnen

Mit einem Nachwort von Ruth Klüger

ca. 160 S., geb., Schutzumschlag
ISBN 3-89244-837-x